OS REPÓRTERES
CLANDESTINOS

© 2005 do texto por Kathy Kacer
Callis Editora Ltda.
Todos os direitos reservados.

2ª edição, 2014
2ª reimpressão, 2022

Texto adequado às novas regras do Acordo Ortográfico da Língua Portuguesa

Coordenação editorial: Miriam Gabbai
Preparação de texto: Ricardo N. Barreiros
Traducão: Bárbara Menezes
Revisão: Maria Christina Azevedo
Projeto gráfico e diagramação: Idenize Alves
Capa: Thiago Nieri
Foto de capa: Dreamstime

CIP-BRASIL. CATALOGAÇÃO-NA-FONTE
SINDICATO NACIONAL DOS EDITORES DE LIVROS, RJ

K13r
  Kacer, Kathy, 1954-
    Os repórteres clandestinos / Kathy Kacer ; [tradução Bárbara Menezes]. - 2. ed. - São Paulo : Callis, 2014.
    184p. : 23 cm

    Tradução de: *The underground reporters*
    ISBN 978-85-7416-950-7

    1. Crianças judias - República Tcheca - Ficção infantojuvenil. 2. Guerra Mundial, 1939-1945 - Judeus - Ficção
infantojuvenil. 3. Guerra Mundial, 1939-1945 - Crianças - República Tcheca - Ficção infantojuvenil. 4. Guerra Mundial,
1939-1945 - República Tcheca - Ficção infantojuvenil. 5. Guerra Mundial, 1939-1945 - Cobertura jornalística - Ficção
infantojuvenil. 6. Literatura infantojuvenil canadense. I. Menezes, Bárbara. II. Título.

                                                                CDD: 940.5318
                                                CDU: 94(100)"1939/1945"\

ISBN 978-85-7416-950-7

Este livro contou com o apoio do Conselho Canadense para as Artes

Impresso no Brasil

2022
Callis Editora Ltda.
Rua Oscar Freire, 379, 6º andar • 01426-001 • São Paulo • SP
Tel.: 11 3068-5600 • Fax: 11 3088-3133
www.callis.com.br • vendas@callis.com.br

Kathy Kacer

OS REPÓRTERES
CLANDESTINOS

Tradução:
Bárbara Menezes

callis

Para John Freund, com gratidão e admiração, e para meus filhos, Gabi e Jake.

Prólogo
Saindo de casa
14 de abril de 1942

Na terça-feira, 14 de abril de 1942, John Freund acordou e, como fazia todas as manhãs, levantou-se, tomou o café com sua família, abotoou sua camisa branca e limpa e colocou seu casaco. Porém, naquele dia, todo o resto estava diferente porque ele iria partir em uma viagem. John lambeu sua mão e, com ela ajeitou seus cabelos curtos, castanhos e ondulados. Seus olhos escuros e redondos mostravam incerteza. Ele respirou fundo e olhou ao redor, para o quarto que tinha dividido com seu irmão Karel por toda a sua vida, quase doze anos. A bola de futebol de John estava em um canto, ao lado da sua raquete de tênis de mesa. Ele iria deixar esses e outros pertences queridos para trás nessa viagem, não haveria brinquedos no lugar para onde estava indo.

Em qualquer outra circunstância, a ideia de uma viagem teria sido animadora, mas aquele não era um momento comum e John e sua família não tinham outra escolha a não ser ir embora. "Por que estamos sendo forçados a sair da nossa casa?", ele pensou, "não fizemos nada de errado". No entanto, naqueles dias, seus pais simplesmente lhe davam as costas quando ele fazia perguntas difíceis.

Os repórteres clandestinos

— Apresse-se, John — sua mãe chamou da cozinha.

Ela estava embalando os pãezinhos que havia acabado de preparar. "Não podemos levar muitas coisas conosco", ela pensou com pesar, "mas ainda assim temos que comer".

O pai de John entrou na cozinha com um olhar triste para sua esposa.

— No final das contas, vou levar minha maleta de médico comigo — ele anunciou. — Apesar de eu ter sido proibido de cuidar de pacientes aqui há algum tempo, os remédios e o equipamento médico podem ser úteis, onde quer que a gente vá parar.

Sua esposa concordou com um movimento da cabeça e virou-se novamente para a comida que estava embalando.

— É hora de partirmos, John — ela avisou.

John olhou para sua cama, os seus pertences formavam uma pilha alta sobre ela. Cinquenta quilos de bagagem não era muito. Ele deveria levar livros ou roupas? Se eles fossem ficar fora durante o inverno, iria precisar de roupas quentes. Ele atirou mais uma malha em sua mala, fechou-a, respirou fundo novamente e pegou-a. Assim, John e sua família saíram de casa pela última vez.

Em outra parte da cidade, Ruda Stadler também estava preocupado com o que levar quando saísse de casa. Acima de tudo, ele estava apreensivo com os jornais. Lá estavam as vinte e duas edições, centenas de horas tinham sido gastas para fazê-las. Ele olhou para os jornais. "Tenho que fazer alguma coisa com eles", pensou desesperado, "tenho de achar uma forma de mantê-los em segurança".

— O que vamos fazer com eles? — Ruda perguntou quando sua irmã mais velha, Irena, entrou no quarto.

— Podemos levá-los conosco — ela sugeriu.

— Não — disse Ruda —, não acho que seja uma boa ideia.

Ele não sabia o que ia acontecer à sua família, mas imaginava que não seria nada de bom. Havia muita incerteza à frente, muitos rumores sobre condições terríveis e tratamento rude. Além disso, a coleção de jornais pesava muito. Ele precisava de espaço em sua mala para roupas e outros suprimentos.

— Mas não podemos simplesmente deixá-los aqui.

Eram mais do que apenas jornais. Eles continham os pensamentos e ideias de muitos jovens, que haviam escrito sobre acontecimentos do seu dia a dia e sobre os seus sonhos para o futuro. Apesar das dificuldades dos anos anteriores, Ruda e seus amigos haviam aberto seus corações nesses jornais. Haviam tentado, por meio de seus textos, ver a vida com otimismo. Haviam mantido a esperança em um mundo mais pacífico. Tudo isso estava refletido naquelas vinte e duas edições, a coleção era o legado deles. Se Ruda deixasse os jornais para trás em sua casa, eles poderiam ser destruídos. Se os levasse, eles poderiam se perder.

Por fim, Ruda e Irena criaram um plano. Era a melhor solução em que conseguiram pensar; Ruda esperava que os jornais ficassem em segurança e rezava por isso. Ainda assim, dizer adeus a eles era como dizer adeus ao seu melhor amigo.

Em toda a cidade, famílias de judeus saíram de suas casas naquele dia, deixando para trás seus preciosos pertences: quadros, livros, louças, roupas e móveis. O destino deles era Theresienstadt, o campo de concentração onde seriam aprisionados. Não sabiam por quanto tempo ficariam longe e quais seriam as condições naquele lugar. Tentavam não pensar muito no futuro, já estavam preocupados o suficiente com o que deixavam para trás para ainda se atormentarem com o que poderiam encontrar adiante. Pelo menos, estavam perto de suas famílias. Algumas crianças pequenas choramingavam, mas a maioria das famílias movia-se silenciosamente em direção à fábrica da cidade, onde iriam passar os próximos dias, esperando pelos trens que os levariam a Theresienstadt. Mil judeus caminhavam pela cidade naquele dia, todos perdidos em seus próprios pensamentos.

Enquanto andava silenciosamente pelas ruas carregando sua mala, John olhou para os rostos fatigados de seus pais. Eles estavam tentando fingir que tudo ficaria bem, mas John não acreditava neles. Não gostava de vê-los tão aflitos, isso o deixava com medo e ele não queria ter medo. Tentando, como sempre, ser otimista, ele pensou que, talvez, a mudança para Theresienstadt fosse uma aventura. Desde que a piscina natural havia sido fechada e eles haviam parado de escrever o jornal, a vida na cidade tornara-se solitária.

Pensamentos sobre o jornal e a piscina natural de repente invadiram a mente de John e as memórias voltaram rapidamente. Ele percebeu que memórias são engraçadas, você não consegue pará-las depois que elas começam. São como água correndo livremente de uma torneira aberta, como as águas rápidas do rio próximo à piscina natural, onde ele e seus grandes amigos haviam passado os momentos mais felizes de que se lembrava, jogando, fortalecendo amizades e criando o jornal que se tornaria o foco de sua energia e imaginação. Enquanto John se afastava de tudo o que conhecia, as memórias começaram a dominá-lo. Ele lembrava-se de 1939, não fazia muito tempo, quando tudo havia começado.

PARTE UM

John e sua família moravam no segundo andar deste prédio de apartamentos.

1
Apresentando John

Cerca de 150 quilômetros ao sul de Praga, a capital do país que já se chamou Tchecoslováquia, há uma cidade chamada Budejovice (pronuncia-se bu-dei-o-vi-tse). O rei tcheco Premysl Otakar II fundou essa cidade há muito tempo, em 1265. Ela fica em um vale onde os rios Moldava e Malsa se encontram e circulam a cidade toda, como um fosso gigante ao redor de um castelo.

No centro da cidade, há uma grande praça chamada Praça do Rei Premysl Otakar II, pavimentada com paralelepípedos e cercada por prédios multicoloridos, barracas de frutas e legumes e vendedores negociando suas mercadorias. No meio da praça, existe uma enorme fonte. Quando ela foi construída, em 1721, era de lá que vinha o fornecimento de água da cidade. Uma estátua de Sansão domando um leão domina o centro da fonte. Em outro canto da praça, ergue-se a imensa Torre Negra, com seu relógio e o sino que toca de hora em hora.

Na década de 1930, Budejovice era uma pequena cidade com várias empresas, escolas, restaurantes e teatros e um tráfego agitado de bondes, carroças, carros e pedestres. Naquela época, cerca de 50 mil pessoas moravam lá. Desse número, aproximadamente mil eram judias. As pessoas da comunidade judaica tinham todo tipo de trabalho: eram donos de pequenas empresas, médicos, professores, artistas e vendedores. Algumas eram ricas e outras eram mais pobres, mas mesmo as famílias judias pobres moravam em pequenos e agradáveis prédios de apartamento e tinham dinheiro suficiente para viver com conforto. Todas essas famílias viviam, trabalhavam e iam à escola junto com seus vizinhos cristãos. Embora houvesse uma pequena parcela da população judaica que seguia leis severas de sua religião, a maioria das famílias de judeus vivia praticamente da mesma maneira que o resto da cidade.

John Freund nasceu nessa encantadora cidade medieval em 6 de junho de 1930. Aos nove anos de idade, era um menino esbelto com cabelos grossos, castanhos e encaracolados e olhos escuros fundos. Ele amava os esportes mais do que tudo, especialmente o futebol, e, para a sua idade e tamanho, ele era musculoso e tinha boa forma. Seu pai, Gustav, era pediatra e seu consultório ficava à distância de uma caminhada de quinze minutos do apartamento da família. John adorava fingir que estava doente para que o pai cuidasse dele como fazia com as muitas crianças adoecidas que atendia com tanto carinho. A mãe de John, Erna, ficava em casa para cuidar da família, ela era uma mulher culta que entendia tudo de poesia e música. John adorava ir às compras com ela, principalmente quando ela ia ao mercado da cidade. A melhor parte do passeio era o final: se John tivesse sorte e se comportasse bem, ele ganhava como recompensa um pãozinho fresco recheado com fatias

John com nove anos.

de carne muito finas, o seu favorito.

Karel era três anos mais velho que John. Ele às vezes o provocava e com frequência era cruel com John, tirando coisas da mão dele ou batendo nele sem motivo aparente. Certo dia, quando John tinha apenas sete anos, Karel o trancou em um terreno próximo ao prédio onde moravam.

— Karel, me deixe sair! — John berrou.

Ele chutou o portão alto e gritou:

— Vou contar para a mãe e para o pai se não me deixar sair.

Do outro lado do portão, Karel deu risada. Ele não tinha medo do seu irmão mais novo nem dos seus pais, ele era durão e rebelde, muito diferente do pacato John.

Mas a brincadeira deixou de ser engraçada para John, ele já estava assustado. Em desespero, curvou-se, pegou uma pedra pesada e a lançou por cima do portão. Ela atingiu seu alvo, acertando Karel na cabeça e fazendo-o sangrar bastante. Karel foi levado ao hospital e teve que tomar pontos e John ficou muito encrencado.

— Não tem desculpa! — seu pai explodiu. — Em que raios você estava pensando quando jogou aquela pedra?

John tentou protestar, afinal, Karel tinha começado tudo ao trancá-lo no terreno, mas seus pais não o ouviram. Eles até pediram ao rabino, Rudolph Ferda, para conversar com John sobre seu comportamento.

— E se uma mãe com um carrinho de bebê estivesse passando quando você jogou aquela pedra? — perguntou o rabino Ferda.

O rabino era um homem gentil e sensato de quem todos na cidade gostavam e a bronca dele deixou John constrangido. John olhou para ele, mas achou difícil ouvir o que o rabino estava dizendo. Em vez disso, ficou observando a boca cheia de dentes dele, todos pintados de ouro para evitar cáries. Além disso, John estava secretamente satisfeito consigo mesmo por ter finalmente enfrentado Karel.

Na maior parte do tempo, John comportava-se melhor do que Karel, mas nem sempre. Ele também criava sua parcela de confusões. Certo dia, por exemplo, John recebeu alguns amigos em casa. A família Freund morava em um apartamento de quatro cômodos no segundo andar de um prédio de quatro andares em uma parte bonita da cidade. O apartamento era espaçoso e decorado com bom gosto, com pisos de madeira escura, tetos de arcos altos e janelas grandes e claras. John dividia seu quarto com Karel. Quando John olhava pela janela de seu quarto, conseguia ver os tijolos vermelhos da sua escola a dois quarteirões dali.

Naquele dia, a mãe de John havia saído para fazer compras e seu pai estava no consultório, atendendo seus pacientes.

— Você pode receber seus amigos, mas todos devem se comportar — a mãe de John havia avisado ao sair para o mercado.

John havia concordado com um movimento da cabeça, feliz com a oportunidade de ficar sozinho. Ele era muito novo para permanecer no apartamento sem os pais, mas (como a maioria das crianças naquela época) ele tinha muita liberdade. Havia poucos perigos em Budejovice e a maior parte dos vizinhos o conhecia e poderia cuidar dele se tivesse problemas.

Os amigos de John chegaram e começaram um jogo frenético de pega-pega, e o aviso da mãe de John foi esquecido imediatamente. Os meninos fizeram tanto barulho que alguém do prédio avisou a senhoria, uma mulher idosa e amarga chamada senhora Kocher. Ela subiu as escadas no seu passo gingado e deu pancadas na porta do apartamento dos Freund.

— Deixem-me entrar agora! — ela exigiu.

Do lado de dentro, os garotos congelaram, ninguém ousou abrir a porta. Por fim, a senhora Kocher empurrou a porta e os meninos se espalharam, subindo nos móveis e se escondendo atrás de poltronas. Balançando uma grande vassoura de cerdas, a senhora Kocher perseguiu John quando ele saiu do armário e ao redor da mesa de jantar, batendo nele com força sempre que conseguia alcançá-lo!

Outra dura bronca dos pais de John veio em seguida a essa aventura.

A vida era animada para John durante sua infância em Budejovice e ele fazia tudo o que as crianças da sua idade adoram fazer. Ele jogava bolinha de gude na calçada, perto da oficina do ferreiro. Ele jogava futebol e hóquei na rua em frente ao seu prédio. Ele era um bom jogador de futebol e ganhava fácil das outras crianças nas corridas. Ele andava de patins na arena de gelo local. Ele às vezes passeava no bonde que serpenteava por Budejovice, em direção à praça e além dela, para a parte norte da cidade.

— Tenha cuidado no bonde — seus pais alertavam. — Não desça até que ele pare completamente.

Mas John era jovem e ousado e ignorava seus pais. Ele esperava o bonde diminuir a velocidade e, então, saltava no ar, torcendo para cair em pé. Isso nem sempre acontecia. Muitas vezes, ele caía na calçada e ralava os joelhos, mas quase não se importava com isso. Pular do bonde era um teste para a sua coragem.

Outro teste de coragem era subir até o topo da Torre Negra. Na primeira vez em que John enfrentou esse desafio, estava apavorado. Ele passou pelas portas da torre para o interior frio e escuro. Lá dentro, o silêncio era total e ele sentiu um frio percorrer sua espinha à medida que seus olhos se acostumavam com a escuridão. Caminhou na direção da escadaria estreita e prendeu a respiração enquanto subia os traiçoeiros degraus da torre totalmente no escuro, tateando o chão para atravessar uma estreita elevação. Apesar da fria umidade, ele sentia o suor escorrendo em suas costas. *Não posso voltar agora*, ele pensou ao escalar uma escada de madeira até o espaço aberto no topo da torre. Por fim, ele saltou para a luz do Sol com o coração disparado e os olhos ofuscados pela claridade. Agarrou-se às pedras da construção, com os joelhos repentinamente trêmulos, e olhou em todas as direções. A vista era magnífica, a subida valia muito a pena.

O pai de John tinha um carro e, em alguns domingos, a mãe dele preparava uma cesta de piquenique e os quatro iam para a Montanha Klet, perto da cidade. As encostas tinham muitos cervos, ursos, lobos e raposas, além de pedras enormes. A lenda contava que antigamente havia um

A família Freund (da esquerda para a direita): John; sua mãe, Erna; seu pai, Gustav, e seu irmão, Karel.

castelo gigantesco naquela alta montanha e que nele viveu, e governou pacificamente, o Duque Hrozen. O duque tinha apenas uma filha, a bela Krasava. Muitos rapazes queriam se casar com ela, principalmente um belo garoto com rosto escuro e olhos brilhantes, perigoso e perverso. Quando descobriram que ele, na verdade, *era* o Diabo, Krasava, aterrorizada, o rejeitou e ele jurou vingança. Certo dia, quando todos do castelo haviam saído para caçar, ele criou uma tempestade terrível sobre Klet, que derrubou as paredes de pedra do castelo e espalhou pela montanha aquelas enormes rochas.

Era lá, próximo das montanhas, que John e sua família passavam os verões, na casa de um fazendeiro, que eles alugavam, perto de uma vila. Era uma casa de fazenda pequena, mas confortável e com um velho celeiro ao lado. John andava pela floresta e nadava na lagoa. Ele pegava borboletas com sua rede e brincava com as crianças da aldeia. Esses verões eram doces, cheios de diversão e aventura, e Budejovice era um lugar maravilhoso para uma criança crescer. John podia ir a qualquer lugar e fazer quase qualquer coisa, tinha bons amigos, uma família amorosa e um lar feliz. Ele não podia imaginar que sua vida um dia mudaria.

2
A família Neubauer

A sinagoga de Budejovice era um bonito prédio de tijolos vermelhos do outro lado da ponte que cruzava o Rio Malsa e em meio a castanheiras. Ela tinha duas torres de campanário na frente e duas grandes estrelas de davi sobre a enorme entrada. Dentro dela, o teto era alto e as janelas tinham vitrais multicoloridos. As famílias se sentavam em bancos de madeira e ouviam o rabino Ferda, que conduzia as cerimônias lá da frente. Atrás dele, o arco decorado com ornamentos sustentava o rolo da Torá, enfeitado com um manto de veludo e uma coroa de prata. O rabino Ferda vivia em Budejovice havia anos e sabia o nome de todos. A comunidade judaica procurava nele liderança e orientação espiritual, ainda assim, às vezes as crianças achavam seus sermões muito longos. Com sua voz alta e expressiva e as histórias que contava, o rabino Ferda tentava mantê-las interessadas nas cerimônias e nas aulas de hebraico durante a tarde, mas nem sempre tinha sucesso.

Os repórteres clandestinos

John e sua família frequentavam esta sinagoga em Budejovice. Os nazistas a explodiram em 5 de junho de 1942.

Estou entediado, pensou John certo dia, ao se sentar no banco da sinagoga. Era o ano-novo judaico e a maioria das famílias de judeus da comunidade estava amontoada dentro da sinagoga. A voz do rabino Ferda soou alto da frente do salão, ecoando pelos elevados arcos e repercutindo no teto e nas janelas. John olhou à sua volta, procurando uma forma de escapar. Ele viu seu amigo Beda Neubauer sentado com sua família. Embora Beda fosse dois anos mais novo que John, eles eram bons amigos. Diferente de John, atlético e forte, Beda era pequeno para a sua idade, delicado, inteligente e estudioso. Ele também era muito engraçado e fazia John e outros amigos rirem com suas caretas e as histórias que inventava.

Ao lado de Beda, estava sua irmã, Frances, e seu irmão, Reina. Frances era a filha do meio, era pequena e bonita e tinha um lindo sorriso e cabelos castanhos cacheados na altura do ombro, cortados de acordo com a última moda. Frances ajeitou a frente de seu vestido vermelho de veludo e esticou os braços para arrumar seus brilhantes sapatos de couro preto. Reina contorceu-se ao lado dela, ele era três anos mais velho que Frances, mas ainda era a pessoa com quem ela mais gostava de brincar. Juntos, eles faziam fantoches com retalhos ou corriam um atrás do outro em volta das castanheiras que ficavam do outro lado da rua, em frente ao seu modesto apartamento.

Beda e sua família moravam em um prédio na entrada da cidade, do outro lado da rua da estação de trem, o ponto aonde chegavam pessoas de outros lugares. Castanheiras alinhavam-se ao longo da rua, criando um denso guarda-chuva de galhos no verão. Todo ano no outono, as crianças Neubauer colhiam castanhas caídas e juntavam a elas pauzinhos e tecidos

À esquerda: Reina (esquerda) e Frances (direita) na praça central de Budejovice.
À direita: Beda.

para criar bonecos. Elas até faziam pequenos móveis com palitos de fósforo e galhos. Uma mesa coberta com um lençol se tornava o palco do "teatro de castanhas".

Outras vezes, as crianças Neubauer simplesmente se sentavam nas escadas em frente ao seu apartamento e contavam os carros que iam passando.

— Eu ganhei! — Frances gritava. — Eu vi o carro marrom antes! Com ele, são dez carros para mim e apenas três para você.

Olhar os carros era a competição favorita deles. Quando cansavam do jogo, esperavam pelo leiteiro de um braço só, que vinha todo dia com seu carrinho cheio de latas de alumínio com leite, puxado por dois cães grandes e de aparência feroz.

Reina, Frances e Beda Neubauer.

Antes de Beda nascer, Frances havia implorado por uma irmã. Ela havia até deixado um bilhete para a cegonha que trazia bebês, com um cubo de açúcar para suborná-la. Imagine como ela ficou frustrada quando chegou um bebê menino.

— Mandem de volta — Frances falou para seus pais. — Eu quero uma menina!

No entanto, ela esqueceu sua decepção quase que imediatamente e Beda tornou-se o bebê "dela". Ela adorava cuidar dele e empurrava o carrinho de bebê sob o olhar atento de sua mãe. Suas preciosas bonecas foram deixadas de lado, intocadas, em um canto do seu quarto enquanto Frances passava todo o tempo cuidando de Beda. Quando Beda começou a andar, Frances o levou até os balanços do parquinho. Eles andavam entre os densos arbustos e sob as altas árvores. Brincavam no tanque de areia e assistiam a shows de marionetes. Depois, Frances ensinou o alfabeto a Beda e o ensinou a ler antes que ele começasse a ir à escola.

— Você é um menino tão inteligente — ela dizia, sorrindo de prazer quando Beda lia suas histórias em voz alta.

O pai de Beda era contador em um escritório perto de casa. Porém, ele também trabalhava como vendedor ambulante para ganhar um dinheiro extra para a família. Ele ia de bicicleta até seus clientes, mas sempre chegava em casa a tempo de jantar. A mãe de Beda tinha muito talento para o tricô e a família nunca ficava sem luvas, cachecóis, chapéus e malhas quentes. Ela até vendia algumas peças para lojas, para ajudar na renda da família.

A família adorava passeios pela natureza. Todo domingo, eles davam uma volta na floresta próxima à cidade, onde o senhor Neubauer identificava pássaros por seus assobios e gorjeios. As crianças colhiam mirtilos e morangos selvagens. No caminho de volta, passavam pela loja de chocolates, as crianças achavam o cheiro, que vinha das janelas abertas, de dar água na boca. Às vezes, elas tinham a sorte de ganhar

John e seus amigos brincavam neste parque, do outro lado da rua da sinagoga.

um doce de chocolate. Nos dias seguintes, ficavam lembrando o prazer trazido pelos doces.

No inverno, as crianças Neubauer andavam de trenó em um pequeno morro perto do cemitério judeu. Havia muitas trilhas de esqui nas montanhas e encostas de morros ao redor da cidade. O inverno era especial para Frances por outros motivos, seu aniversário era em dezembro e o *Chanuca*, o festival das luzes celebrado pelo povo judeu, vinha logo em seguida. No *Chanuca*, a sua família acendia a *chanukia*, um candelabro com oito velas, uma para cada noite do festival. As velas eram acesas com a vela mestra, que, depois, assumia seu lugar no centro da *chanukia*. A mãe de Frances a colocava entre as janelas duplas da frente do apartamento, onde as crianças podiam ver o reflexo das chamas tremulando.

— Vamos tentar adivinhar qual será a primeira a se apagar e qual irá durar mais — Frances dizia quando Reina e Beda juntavam-se mais para ver as velas queimarem.

Na sinagoga, John encarava Beda fixamente, esforçando-se para que Beda percebesse. Finalmente, Beda olhou para cima e viu seu amigo. Juntos, eles acenaram silenciosamente com a cabeça, concordando com um plano não dito.

— Pai — disse John com um sussurro suave —, vou lá fora só para respirar um ar puro.

Seu pai assentiu.

— Não demore muito — ele disse e virou-se novamente para o seu livro de orações, enquanto John levantava-se e saía. Do outro lado do salão, Beda estava tendo uma conversa parecida com seu pai, que, da mesma maneira, concordou com a cabeça enquanto Beda, Frances e Reina levantavam-se juntos e andavam até o fundo da sinagoga.

Quando estavam do lado de fora, as crianças gritaram com todo o fôlego que tinham, felizes por terem escapado do tédio da cerimônia.

— Vamos! — gritou John. — Eu aposto uma corrida com vocês até o parque.

E eles saíram correndo, cruzaram a rua, entraram no parque e passaram pelo moinho em miniatura, esquivando-se por baixo da cortina de galhos dos enormes carvalhos. Depois de ultrapassarem os bancos do parque e percorrerem um caminho de cascalho, eles finalmente chegaram ao parquinho. A cerimônia foi logo esquecida e eles brincaram de esconde-esconde entre as árvores lotadas de passarinhos que voavam tão livres quanto as crianças se divertiam.

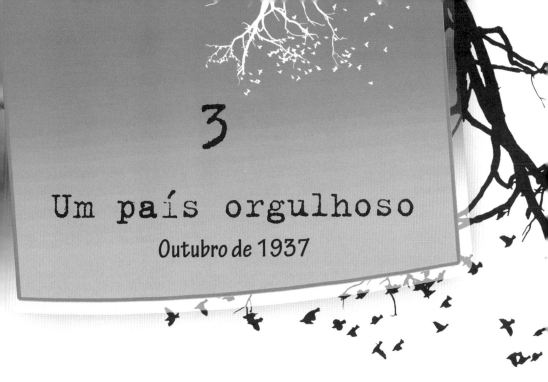

3
Um país orgulhoso
Outubro de 1937

Certa manhã, John caminhou os dois quarteirões até a sua escola de cabeça baixa, imaginando como seria aquele dia. Ele estudava em uma escola só para garotos, sem meninas, e era o único judeu da sua sala. Isso não o incomodava muito, a maioria de seus amigos não era da comunidade judaica, exceto por Beda e alguns outros. As crianças brincavam juntas sem problemas, sem pensar nas suas diferenças religiosas.

John entrou em sua sala de aula e olhou ao redor. Seu professor já estava escrevendo as lições do dia no quadro negro. Era um homem gentil que havia dado aulas a John em várias séries. Ele fez um aceno com a cabeça quando John caminhou para sua carteira e sentou-se no estreito banco de madeira. Três meninos sentavam lado a lado em cada banco e tinham uma longa mesa em frente a eles. Zdenek já estava lá, ocupado escrevendo as lições do quadro negro.

Zdenek Svec (pronuncia-se shvets) era um grande amigo de John, eles se conheciam desde os cinco anos de idade, do jardim de infância, e haviam ficado amigos imediatamente. Zdenek morava com seus pais e sua irmã, Mana, em um pequeno apartamento no andar principal de um colégio de ensino médio próximo de lá, onde seu pai era o superintendente. Quando John deslizou para perto do amigo, Zdenek olhou para cima e sorriu.

— Venha me visitar à noite — ele sussurrou, olhando para certificar-se de que o professor não havia escutado.

John concordou com a cabeça, ele adorava visitar a casa de Zdenek. A família dele era gentil, trabalhadora e hospitaleira. A mãe dele sempre tinha um prato de bolos deliciosos pronto para as crianças famintas todas as vezes que John ia lá para brincar. E John adorava brincar com Zdenek na escola. Juntos, os meninos andavam pelos corredores escuros, um perseguindo o outro e escorregando nos pisos encerados. Havia um elevador puxado por corda, usado principalmente para carregar mantimentos e proibido para os garotos. Ainda assim, quando estavam se sentindo muito corajosos, John e Zdenek ignoravam as ordens do senhor Svec e passeavam entre os andares pelo elevador.

— Tenho de ir à minha aula de hebraico depois da escola — John sussurrou de volta para Zdenek —, mas irei para a sua casa depois.

Duas vezes por semana, John frequentava as aulas de hebraico do rabino Ferda. O rabino vinha até a escola dele e crianças judias de toda a cidade reuniam-se lá por uma hora.

Zdenek Svec morava nesta escola e brincava aqui com John durante a noite.

Zdenek franziu as sobrancelhas. Ele não era judeu e não entendia por que John tinha de abrir mão de uma parte do seu tempo de brincar para estudos religiosos.

— Tudo bem — ele finalmente respondeu —, mas venha bem rápido depois disso.

John voltou para os seus estudos, ele tinha um longo dia pela frente e precisava prestar atenção em Latim, Matemática e História. Porém, naquele dia, as crianças teriam uma diversão.

O professor virou para olhar a classe.

— Crianças — ele disse —, hoje é um dia muito especial. Levante a mão quem souber quem é o senhor Benes.

Todos da classe ergueram uma mão. Edvard Benes (pronuncia-se be-nesh) era o presidente da Tchecoslováquia. Durante anos, ele havia sido o ministro de Relações Exteriores no governo de Thomas Masaryk, primeiro presidente do país e homem muito respeitado. Quando Masaryk se aposentou, em 1935, Benes assumiu a liderança.

— Hoje, o presidente Benes vai passar em viagem por Budejovice. Toda a nossa classe irá lá fora para ver a carreata dele passar pela cidade. Será uma honra para todos nós ver nosso presidente pessoalmente.

Um burburinho de animação espalhou-se à medida que os meninos faziam fila e saíam da sala e da escola. As ruas já estavam lotadas de pessoas jovens e velhas, aguardando ansiosas. John correu os olhos pela multidão, ele viu Karel ao lado de um grupo de crianças mais velhas da sua escola e imaginou que seus pais estavam em algum lugar no meio da multidão. Na verdade, todos os seus amigos provavelmente estavam lá, esperando com a mesma agitação que ele sentia. Beda, Frances e Reina Neubauer deviam estar por ali, em qualquer ponto. O rabino Ferda permanecia com um grupo de pessoas em outra esquina. Alguém entregou a John a bandeira vermelha, branca e azul da Tchecoslováquia e ele a balançou bem alto sobre sua cabeça. E, de repente, lá estava ele. Um carro grande, preto e aberto na parte superior virou a esquina com o presidente dentro, sorrindo. O senhor Benes acenou com a mão e a cabeça para todas as pessoas enquanto elas gritavam para cumprimentá-lo. Quando o carro parou perto de John, as pessoas à sua volta começaram a cantar o hino nacional tcheco, suas vozes elevadas em uníssono em tributo ao seu líder e ao seu país. John fez o mesmo, é claro.

Foi um dia de orgulho para os cidadãos de Budejovice. Foi um dia em que os vendedores abandonaram suas barracas, homens de negócios saíram de seus escritórios e mães e bebês fizeram fila para chegar o mais perto possível do meio-fio. John sentiu-se entusiasmado por estar lá balançando a bandeira do seu país. Naquele momento, ele sentiu com firmeza que pertencia àquele país e teve confiança na unidade da sua nação. Acreditava que ele e todas as outras pessoas que estavam lá juntas eram como uma família, todos orgulhosos do seu país e da sua cultura.

John (na frente) e algumas das outras crianças de Budejovice.

4
Os nazistas chegam
15 de março de 1939

Em 15 de março de 1939, menos de oito meses após ter visto o presidente Benes, John acordou para uma nova e cruel realidade. Naquele dia, centenas de milhares de soldados nazistas marcharam nas cidades de toda a Tchecoslováquia, declarando o país parte da Alemanha, sob o domínio do seu líder, Adolf Hitler. Em Budejovice, algumas pessoas estavam curiosas para ver os soldados. Elas saíram às ruas para vê-los entrar na praça central com suas armas e seus tanques barulhentos. Porém, não se parecia em nada com o dia em que essas mesmas pessoas tinham saído sacudindo bandeiras e cumprimentando o presidente. Neste dia, não havia bandeiras nem acenos felizes.

As famílias judias de Budejovice estavam apavoradas. Adolf Hitler e seu partido nazista eram conhecidos por odiarem judeus. A Alemanha vinha sofrendo problemas econômicos terríveis desde que havia sido derrotada na Primeira Guerra Mundial, cerca de vinte anos antes. Muitos alemães estavam desempregados e lutavam para sustentar suas famílias. Hitler culpou os judeus por muitas das dificuldades financeiras da Alemanha e, no desespero, muitas pessoas acreditaram nele, felizes por verem alguém levar a culpa por suas preocupações. Nos meses anteriores, haviam sido divulgadas notícias no rádio sobre hostilidades contra judeus na Alemanha.

Adolf Hitler examina suas tropas em Praga, na Tchecoslováquia, no dia da ocupação, 15 de março de 1939.

— Algo terrível vai acontecer aqui — a mãe de John tinha dito havia pouco tempo, quando John escutou uma preocupante conversa tarde da noite.

— Vamos lutar contra qualquer ocupação — o seu pai havia respondido.

A mãe de John deu uma risada triste.

— Como podemos lutar? E com o quê? Nosso país é muito pequeno e nenhum outro país vai nos defender. Hitler é um homem louco. Ouvimos no rádio notícias sobre sinagogas sendo destruídas na Alemanha, sobre pessoas sendo mandadas embora de seus empregos e, agora, temo que será assim aqui também.

— Mas nossos amigos e vizinhos vão nos proteger se alguma coisa acontecer.

Erna Freund suspirou e olhou para o outro lado. Ela não acreditava que alguém viria para ajudá-los. Havia algumas pessoas na cidade que, assim como Hitler, odiavam judeus. Elas odiavam qualquer pessoa que fosse diferente, ou tivesse mais sucesso, ou tivesse mais posses. Elas nunca defenderiam os judeus de Budejovice. Além disso, as pessoas tinham medo dos nazistas e de Adolf Hitler e o medo podia levar as pessoas a fazerem coisas horríveis.

John havia escutado essa conversa, mas não podia acreditar que estava em perigo, mesmo quando viu as expressões preocupadas de seus pais. Nada iria acontecer na Tchecoslováquia, ele pensou. Não na cidade deles.

— Você não pode sair de casa hoje — disse a mãe de John quando a notícia da chegada de Hitler ecoou no rádio.

— Quero ver o que está acontecendo — John protestou. — Todo mundo está lá fora vendo as tropas, até as aulas foram canceladas.

Entretanto, seus pais recusaram-se a deixá-lo sair de casa. John não tinha escolha a não ser olhar da janela de seu apartamento, esforçando-se para ver o que estava acontecendo lá fora. Ele conseguia ver os soldados passando em filas regimentais compactas, vestindo uniformes engomados e altas botas pretas. Eles marchavam com as pernas esticadas para cima e para baixo, as botas brilhantes batendo contra o pavimento de paralelepípedos.

Tchecoslováquia, 1933

À esquerda: a Tchecoslováquia em 1933, antes da guerra. A cidade de John, Budejovice, está indicada por uma seta preta, logo abaixo de Praga, no lado esquerdo do mapa.

Anexação da região de Sudetos pela Alemanha, 1938

À direita: a Tchecoslováquia na época do Pacto de Munique. A área escura ao redor das regiões da Boêmia e da Morávia, chamada Sudetos, é dada à Alemanha em troca de uma promessa de paz.

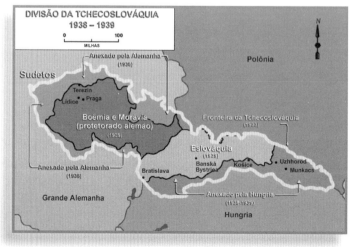

Divisão da Tchecoslováquia, 1938 – 1939

À esquerda: 15 de março de 1939. Adolf Hitler ocupa a Tchecoslováquia.

Seus braços estavam suspensos à frente deles em um rígido cumprimento a Adolf Hitler. Eles eram impressionantes e assustadores ao mesmo tempo. "Como pode ser?", John pensou. "Como esses soldados podem simplesmente entrar marchando pela minha cidade e tomar o controle dela?"

Um ano antes, Hitler havia ameaçado declarar guerra na Europa a menos que uma área de fronteira da Tchecoslováquia, chamada Sudetos, fosse entregue a ele. A Tchecoslováquia não podia defender esse território sozinha, era um país tão pequeno comparado com a agressiva e poderosa Alemanha. Os líderes da Grã-Bretanha e da França realizaram uma conferência em Munique, na Alemanha, em 29 de setembro de 1938 para discutir o problema. Nenhum desses países queria a guerra, eles acreditavam que, se dessem a região dos Sudetos para a Alemanha, Hitler ficaria satisfeito. Em troca da promessa de paz feita por Hitler, aquela área da Tchecoslováquia foi cedida, em um acordo conhecido como Pacto de Munique.

Porém, Hitler não manteve a sua parte do trato, ele queria mais terras e mais poder. Em outubro de 1938, o presidente Benes deixou o cargo e partiu para o exílio na Inglaterra e Hitler desprezou o Pacto de Munique, entrou marchando na Tchecoslováquia e ocupou o país todo.

Para John, com seus nove anos de idade, e para os outros judeus de Budejovice, a vida mudou quase que imediatamente. Em poucos dias, um aviso foi deixado na porta de John.

— O que ele diz? — John perguntou quando seu pai trouxe o papel para dentro do apartamento.

Gustav Freund olhou para sua esposa e hesitou.

— Diga — John insistiu. — Eu ouvi a voz de Hitler no rádio, eu estou vendo os soldados nas ruas, você não pode esconder nada de mim.

— É uma lista de novas leis — seu pai começou a contar. — Haverá muitas mudanças agora.

— Há algumas coisas que as famílias judias não vão mais poder fazer — a mãe de John continuou, enquanto lia o aviso.

— Como o quê? — John perguntou.

— Bem, não poderemos fazer compras em algumas lojas.

— Você não vai poder ir à piscina pública daqui para frente — seu pai acrescentou.

John não podia acreditar no que estava ouvindo.

— Ainda posso patinar na arena?

Seu pai balançou a cabeça com tristeza.

— Mas você não deve se preocupar, John — ele disse. — Em pouco tempo, tudo voltará a ser como antes. Você vai ver.

John concordou com a cabeça e tentou não pensar muito naquelas restrições. Ele acreditava nos seus pais, essas novas leis não iriam durar muito. Como poderiam? Ele esperava que, em alguns dias, os soldados desaparecessem e, junto com eles, aquelas novas leis.

Em vez disso, o domínio dos nazistas ficava mais forte a cada dia. As suásticas, símbolos do Partido Nazista, apareciam na frente dos prédios, alertando os judeus para manterem distância. Esses símbolos negros tinham o poder de excluir os judeus de todos os lugares da cidade. Com as suásticas, vieram placas em lojas e prédios de escritórios com textos em alemão e letras negras e grossas declarando "**JUDEN EINTRIT VERBOTEN!**" (É proibida a entrada de judeus!). O parque onde John e seus amigos haviam brincado quando escaparam da sinagoga passou a ser território proibido, todos os judeus tinham de deixar as ruas até as oito da noite, instrumentos musicais pertencentes a judeus foram recolhidos e entregues às autoridades nazistas. A mãe de John viu com tristeza seu belo piano ser tirado do apartamento. Ele deixou um grande espaço vazio na casa e um sentimento de vazio ainda maior no coração dela.

John pôde ficar na escola até o final daquele ano letivo, em junho de 1939. Porém, depois disso, as crianças judias não teriam mais permissão para frequentar a escola. Também era contra a lei John brincar com seus amigos cristãos. As crianças que brincavam com ele antes passaram a manter distância, com medo dos problemas que as suas famílias poderiam ter se fossem vistas com um garoto judeu. "Como podiam ser bons amigos em um dia e ficarem tão cruéis no outro?", John pensava, à medida que, um por um, seus amigos cristãos o abandonavam.

Todos, exceto Zdenek Svec, o único cristão corajoso o suficiente para continuar sendo amigo de John mesmo diante dessas leis terríveis.

— Você não tem medo de ser visto comigo? — John perguntou enquanto ele e Zdenek brincavam, certa noite, no corredor escuro da escola onde o amigo morava.

Zdenek encolheu os ombros.

— Somos amigos — ele disse. — Isso é tudo que importa para mim.

Certo dia, John estava caminhando pela rua. Ele tinha cuidado por onde andava, certificando-se de que não havia provocadores por perto, que pudessem querer bater em um garoto judeu. Naqueles dias, isso era um perigo. Do outro lado da rua, ele viu seu antigo professor caminhando na direção dele. O professor era um cristão que sabia o risco de conversar com um judeu, por isso, John baixou a cabeça quando ele passou. De repente, o professor parou, bloqueando seu caminho. John congelou. "O que será agora?", ele pensou. Mas o professor não ia machucá-lo. Ele olhou ao redor, estendeu a mão segurando a de John e disse:

— Lembre-se de que você tem de ser corajoso.

O pai de John trabalhou como jardineiro depois de ser proibido de exercer a medicina.

Depois, foi embora rapidamente.

John ficou perplexo. Até mesmo falar com um judeu era um crime com punição. Sentiu-se agradecido por aquele homem ter corrido um risco tão grande para ser gentil com uma criança judia. Seria tão bom se houvesse outras pessoas como Zdenek e o professor, outras que ainda estivessem dispostas a serem amigas de judeus. Se houvesse, talvez as coisas fossem diferentes.

As semanas e os meses arrastaram-se lentamente para John. Não havia nada para fazer e poucos lugares para ir. Ele se sentia enjaulado, passava a maior parte dos dias em seu quarto ou no pátio atrás do apartamento. Ele chutava sua bola de futebol na parede e sonhava com o fim das restrições.

— Quando eu vou poder voltar para a escola ou brincar nas ruas de novo? — ele suplicava aos pais, que estavam aflitos. — Vocês me disseram que as coisas iam melhorar, mas elas só estão piorando.

Seus pais se viravam para o outro lado e não olhavam para ele. Eles não tinham respostas.

Em Budejovice, assim como em outras cidades ocupadas pelos nazistas, muitos judeus perderam seus empregos. Para economizar dinheiro e equilibrar as despesas, muitas famílias de judeus abandonaram seus espaçosos apartamentos e passaram a dividir acomodações umas com as outras. Quando o pai de John foi forçado a fechar seu escritório e seu consultório e foi proibido de trabalhar como médico, ele convidou outra família de judeus para morar com eles. Ele trabalhava como jardineiro para outra família judia para passar o tempo, mas, se alguém vinha vê-lo com um problema de saúde, ficava feliz em oferecer seus serviços. Aquelas novas leis nazistas não iriam impedi-lo de oferecer cuidados médicos àqueles que precisassem dele.

Enquanto isso, a família continuava a gastar suas economias.

— Como podemos viver assim? — perguntou a mãe de John.

Ela estava preocupada que o dinheiro acabasse e eles não tivessem nada para viver. Por sorte, Karel pôde ajudar. Ele conseguiu um emprego para limpar a casa de dois idosos. O dinheiro não era muito, mas a pouca quantia que ele ganhava aliviou algumas das preocupações financeiras da família.

Porém, todo o resto continuava piorando. John se perguntava aonde aquilo iria chegar. Quando as coisas voltariam ao normal? Quão pior poderiam ficar? Ninguém sabia a resposta. Tudo o que podiam fazer era esperar e torcer para que, logo, a vida voltasse a ser como era antes do tenebroso dia em que os nazistas chegaram marchando.

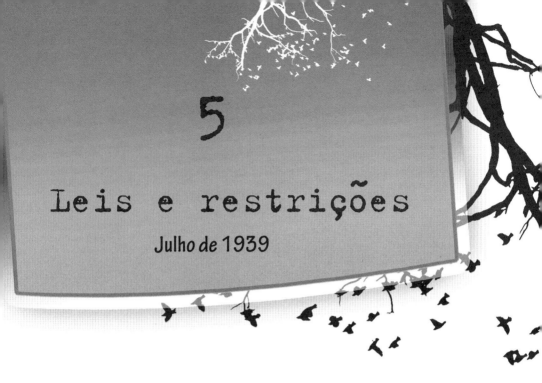

5
Leis e restrições
Julho de 1939

Um novo decreto foi anunciado na cidade. Os homens judeus deviam trabalhar nas margens do rio Moldava. Toda primavera, cheio por causa das chuvas e da neve do inverno, o rio ameaçava transbordar e inundar a cidade. A única maneira de controlá-lo era dragar o leito do rio, cavando e tirando areia e rochas, enchendo barcos com aquela sujeira e, depois, empilhando-a nas margens do rio para segurar a água. No passado, trabalhadores contratados realizavam essa tarefa, mas, naquele momento, mais de cem judeus foram obrigados a assumir o trabalho. Entre eles estava o pai de Beda.

— Como os nazistas podem esperar que você faça esse tipo de trabalho manual? — a mãe de Beda perguntou. — Você é um homem estudado.

— Eu ficarei bem — o senhor Neubauer respondeu. — Isso vai me manter ocupado e me deixar forte. Além disso, vou ganhar um pouco de dinheiro e você sabe como precisamos de dinheiro.

A sua esposa mordeu o lábio, mas não disse mais nada. Estavam desesperados por dinheiro já que ele não tinha mais permissão para trabalhar.

Homens judeus foram obrigados a fazer trabalhos forçados, nesse caso, dragando o rio para evitar uma inundação.

Além disso, uma ordem era uma ordem e, assim, no dia seguinte mesmo, ao amanhecer, o pai de Beda e outros homens judeus apresentaram-se no rio para o primeiro dia de trabalho duro.

O serviço era sujo e machucava as costas. Mãos de pele fina, desacostumadas a usar pás e puxar pedras, ganhavam bolhas e calos. Com frequência, os homens caíam nas águas congelantes completamente vestidos. O pai de Beda não reclamava, mas todas as noites Beda e Frances assistiam à sua mãe cuidar dos cortes, ferimentos e músculos doloridos dele. Ainda assim, eles todos sabiam que era a única forma de ganhar dinheiro.

Antes da ocupação dos nazistas, Frances frequentava uma escola alemã em Budejovice, mas era difícil ser a única menina judia em uma escola cheia de cristãs. Durante algum tempo, ela sentiu que as outras crianças estavam se voltando contra ela. Elas cochichavam pelas suas costas, apontavam para ela e a xingavam. "Judia suja", algumas delas zombavam quando lhe davam empurrões. Os pais de Frances por fim a colocaram em uma escola tcheca, onde a situação era melhor. No entanto, no verão de 1939, ela também foi proibida de ir à escola. Ela se consolava dando aulas para Beda em casa, como havia feito quando ele era pequeno.

Certo dia, Beda, Frances e Reina planejaram ir ao cinema. "Finalmente vamos fazer algo divertido", Beda pensou.

— Tenham cuidado — a mãe deles disse quando as crianças passaram pela porta. — Fiquem juntos e não falem com ninguém.

Naqueles dias, estava ficando cada vez mais perigoso para os judeus andar nas ruas, mas esses três jovens não estavam muito preocupados. Eles iam assistir à *Branca de Neve e os sete anões* e estavam animados demais para pensar no perigo. Eles se sentaram no balcão do cinema e se encantaram com as cores vivas da animação, os olhos arregalados de prazer e expectativa. A única distração em casa era o rádio, e os filmes com atores eram em preto e branco. Mas aquele filme… era mágico.

No dia seguinte, apareceu um aviso no jornal anunciando que os judeus não podiam mais ir ao cinema.

Logo, Beda e sua família foram forçados a mudar de apartamento. Os nazistas queriam usar o prédio onde moravam por causa da cobiçada localização em frente à estação de trem, já que soldados alemães chegavam e partiam de trem regularmente. Os Neubauer mudaram-se para um apartamento menor, que dividiam com outra família. Era apertado e Frances, com seus treze anos, detestava dividir seu espaço. Os seus pais, por compreenderem isso, começaram a falar em mandá-la morar com uma família no exterior. Ela ficaria segura lá e, talvez, pudesse até encontrar uma maneira de mandar dinheiro para casa.

Frances com 14 anos, logo antes de partir para Brno.

Ao preparar-se para partir, Frances tirou uma fotografia para o seu passaporte, usando um vestido vermelho escuro com um chapéu elegante feito por sua tia, mas, antes de poder ir, uma nova lei foi aprovada. Os judeus não podiam mais sair do país. A família de Frances esforçou-se para fazer outros planos. Eles decidiram que, se ela não podia mais ir à escola, talvez aprender um ofício fosse útil.

— Você gosta tanto de roupas e moda — disse seu pai. — Poderia ajudar sua tia Elsa no seu ateliê de costura. Vamos mandá-la ficar com ela e aprender a profissão.

Ele escreveu para a tia Elsa, que disse que ficaria muito feliz em receber Frances em sua casa em Brno, a cerca de duzentos quilômetros de Budejovice.

— Mas ela mora tão longe — Frances choramingou. — Não quero ir embora.

— Sim, é um caminho longo — concordou seu pai —, mas você ficará segura lá. Você tem que ir.

E, assim, Frances despediu-se com tristeza de sua família. Na estação de trem, ela segurou Beda:

— Prometa que vai me escrever — ela disse.

Beda concordou com a cabeça, ele não confiava que conseguiria falar sem chorar.

— E prometa que vai continuar lendo — Frances continuou.

Com isso, ela entrou no trem. Ela não tinha planos para quando iria voltar e não fazia ideia de quanto tempo ficaria fora.

6
Guerra no mundo
Setembro de 1939

As famílias judias de Budejovice continuaram a sentir as restrições estreitando-se em volta delas já que os soldados nazistas moravam na cidade e a dominavam. Em um dia de setembro de 1939, John entrou na sala de estar e encontrou seus pais encolhidos em volta do rádio, os rostos sombrios. John se aproximou para ouvir o rádio e reconheceu a voz de imediato. Era Adolf Hitler proclamando para o que parecia ser uma massa de seguidores que o aclamavam.

— O que ele está dizendo? — John perguntou.

— Os exércitos de Hitler invadiram a Polônia — sua mãe respondeu. — A Grã-Bretanha e a França terão de pará-lo agora. Vai haver uma guerra, uma guerra muito grande.

A voz dela tremeu quando ela olhou para o marido.

O discurso de Hitler no rádio continuou.

— Os judeus são a nossa desgraça — ele berrou. — Trabalhadores de todas as classes e todas as nações, reconheçam nosso inimigo em comum.

Os repórteres clandestinos

John olhou para seus pais e teve medo. Uma coisa era se preocupar com a ocupação da Tchecoslováquia, isso já era assustador o bastante. Mas eles tinham a esperança de que Hitler fosse se conformar com o território que ele já tinha, de que as coisas não piorariam e, finalmente, iriam melhorar. Naquele momento, as notícias no rádio confirmaram o maior medo deles, Hitler estava tentando conquistar a Europa, país por país.

Dias após dia, John e sua família ouviam o rádio. Um mês depois de a Alemanha ter invadido a Polônia, o exército polonês foi derrotado. Os nazistas continuaram sua investida, indo contra a Dinamarca, a Noruega, a Holanda, a Bélgica, Luxemburgo e a França. E, ainda assim, Hitler fazia pressão para ir mais à frente. Por mais assustador que fosse ouvir sobre suas vitórias, as famílias judias de Budejovice estavam ávidas por saber a verdade sobre o que estava acontecendo ao redor delas.

Por toda a Europa, atitudes contra os judeus estavam crescendo. Assim como na Tchecoslováquia, a educação estava proibida para crianças judias e os adultos não podiam mais trabalhar em seus negócios nem para seus antigos chefes. Como o pai de John, médicos, enfermeiras, dentistas e advogados judeus não podiam mais exercer suas profissões. Todos os judeus com mais de dez anos de idade eram obrigados a usar estrelas amarelas para marcá-los como marginalizados. Homens judeus estavam sendo levados e forçados a trabalhar para os nazistas, construindo prédios e trilhos de trem.

Mesmo assim, os pais de John tentavam manter uma atitude corajosa, não queriam deixar seus filhos preocupados. Mas John não se enganava. Certa noite, já bem tarde, ele saiu de sua cama e foi na ponta dos pés até a sala de estar. Mais uma vez, seus pais estavam encolhidos em volta do rádio. Karel estava mal-humorado, sentado em uma poltrona afastada. John curvou-se para ouvir a conversa dos pais.

— Judeus estão tentando escapar de países de toda a Europa, mas está cada vez mais difícil — a mãe de John disse, enquanto o rádio ressoava ao fundo.

Homens judeus, tirados de seus antigos empregos, são forçados a trabalhar para os nazistas.

— Não consigo pensar em deixar a nossa casa — seu pai respondeu.

A mãe de John continuou:

— Na Alemanha, todos os passaportes de judeus foram estampados com a letra "j", para evitar que eles partam para a Suíça. Quem tem dinheiro pode tentar conseguir passaportes ilegais e sair clandestinamente para países mais seguros. Algumas famílias com sorte conseguiram escapar e obter a liberdade dessa maneira, mas muitas foram pegas e mandadas de volta para casa, ou colocadas imediatamente na prisão e punidas.

— Bem, ficaremos seguros desde que fiquemos aqui — seu marido assegurou.

— Nesses dias, não tenho certeza. Talvez devêssemos pensar em fugir enquanto ainda há chance. Vários países não estão muito ansiosos para abrir suas fronteiras para judeus fugitivos. Em maio deste ano, um navio chamado S.S. *St Louis*, com quase mil judeus refugiados a bordo, foi recusado por Cuba e pelos Estados Unidos e mandado de volta para a Europa. Quem sabe o que será dessas famílias? Não podemos ignorar o que está acontecendo.

— Não estou ignorando nada — suspirou o pai de John. — Só acho que nós não podemos ter pressa e tomar uma atitude radical. Ainda acredito que estamos mais seguros aqui.

John observou seus pais sentindo-se dilacerado pelo suspense. Eles iriam decidir deixar a casa? Realmente acreditavam que era perigoso demais ficar? Sua mãe parecia tão triste, enquanto seu pai tentava, como sempre, continuar animado. Por fim, eles se endireitaram em suas poltronas e balançaram as cabeças. Com certeza não era necessário fugir. Não poderia ser.

Mesmo assim, os pais de John estavam agitados e queriam fazer o que pensavam ser o melhor para seus filhos. Certa noite, sentaram-se com John e Karel para discutir a possibilidade de mandá-los para longe.

— É impossível sua mãe e eu deixarmos a casa — disse o seu pai —, mas talvez devêssemos mandá-los para algum lugar até que os problemas acabem. Há transporte para crianças que estão deixando a Europa e indo para a Inglaterra, para ficarem com famílias dispostas a acolhê-las. Chama-se "Kindertransport".

— Será melhor se vocês forem com as outras crianças — a mãe deles acrescentou.

— Mas eu não quero ir — John insistiu. — Meus amigos estão aqui e vocês estão aqui. Eu quero ficar.

Seus pais baixaram o olhar. É claro que eles não queriam mandar seus filhos embora, mas queriam protegê-los desesperadamente. Era tão difícil saber qual a coisa certa a fazer, mas, antes de começarem a arrumar as coisas para Karel e John partirem, o transporte para crianças acabou. A família toda estava presa e cercada pela guerra.

John estava secretamente aliviado por não ter de deixar sua casa, seus amigos e sua família. Ele e seus pais nunca mais falaram sobre ele ir embora.

PARTE DOIS

A piscina natural atualmente.

7
O pedido
Junho de 1940

A primavera havia chegado e John estava inquieto.

— O que vamos fazer o verão todo se não podemos nadar na piscina pública e nem ir ao parque? — ele perguntou a seus pais.

Como a maioria das crianças da sua idade, John vivia para esperar os meses de verão e a chance de brincar ao ar livre nos dias quentes. Os meses de inverno haviam passado com uma lentidão agonizante para todas as crianças judias, com tão pouco para fazer e nenhum lugar para ir.

— Precisamos achar uma maneira de vocês e as outras crianças brincarem juntos — seu pai concordou.

As crianças precisavam de um lugar onde pudessem se divertir sem restrições e sem medo. Não podiam mais brincar nas ruas nem nos parques e precisavam da companhia umas das outras naquele momento difícil. Os pais judeus de Budejovice buscaram o conselho judeu da cidade para ajudá-los a encontrar um lugar para brincar.

O conselho se chamava Kile e sempre havia organizado as atividades sociais da comunidade judaica de Budejovice. Kile vem da palavra hebraica *kehilot*, que significa "comunidades". Depois da chegada dos nazistas em 1939, o Kile tornou-se responsável por executar as ordens deles. Em todas as cidades ocupadas, os nazistas incentivavam a existência de uma autoridade judia central, era uma boa forma de fazer um acompanhamento de todos os judeus. O conselho foi forçado a criar uma lista de nomes de todos os judeus que moravam em Budejovice, assim como suas propriedades e negócios. O conselho depois, pôs em vigor todas as leis de toque de recolher e restrições ao trabalho e escolheu quem iria participar dos trabalhos forçados.

Algumas vezes, os nazistas designavam alguns judeus para participarem desses conselhos. Geralmente, eram membros proeminentes da comunidade judaica, pessoas que as famílias judias estariam dispostas a escutar. Muitos judeus recusaram-se a fazer parte desses grupos, pois acreditavam que estariam traindo seu próprio povo se executassem ordens dos nazistas. Outros judeus foram voluntários para o cargo, esperando que, fazendo isso, pudessem melhorar a vida de seus amigos e de seus familiares e atrasar ou evitar uma piora nas condições.

Quando a comunidade judaica queria pedir aos nazistas um tratamento ou serviço em especial, o pedido tinha de passar pelo Kile. Foi assim que, em junho de 1940, o Kile de Budejovice solicitou aos nazistas uma área de diversões para os jovens judeus no verão. Depois, todos aguardaram em suspense, imaginando se o pedido seria atendido.

De sua pequena casa de fazenda nas margens do rio Moldava, um fazendeiro chamado senhor Vorisek (pronuncia-se Vor-i-shek) ouviu falar desse pedido e quis ajudar. Ele era um homem gentil, tinha muitos colegas de trabalho judeus e detestava ver o que estava acontecendo aos judeus em sua cidade. E, o que é mais importante, ele tinha terras ao lado do rio que não estavam sendo usadas. Apesar de ser muito perigoso demonstrar algum tipo de generosidade com os judeus, o senhor Vorisek apresentou-se e ofereceu a sua terra — uma piscina natural — para os jovens judeus da cidade.

Para o espanto de todos, os nazistas concordaram com a sua oferta. Ninguém podia acreditar que a área de diversões realmente havia sido aprovada. Talvez os nazistas pensassem que era inofensivo permitir que as crianças tivessem um espaço assim para elas, ou talvez eles pensassem que seria uma maneira de mantê-las longe da vista. Qualquer que fosse a razão, a resposta foi sim.

A área era um pedaço de terra bem ao lado do rio Moldava, que tinha 50 metros de profundidade e 3 mil metros de comprimento. A piscina natural ficava do outro lado de uma ponte, logo depois dos limites da cidade. Na área, havia uma cabana em más condições e nada mais. O lugar não era muito bonito e o rio que passava por ele estava poluído, mas a área de diversões deu às crianças um lugar para se reunirem. "É só para nós", John pensou. "Não há placas aqui para deixar os judeus do lado de fora. É um lugar onde podemos esquecer o que está acontecendo em nossa cidade e em nosso país". A piscina natural foi onde os jovens judeus de Budejovice se reuniram pela primeira vez em 1940.

Naquele primeiro dia, John subiu em sua bicicleta e despediu-se de seus pais.

— Voltarei mais tarde — ele disse.

Não podia esperar para chegar à área de diversões.

— Tenha cuidado — seus pais alertaram, lembrando-o de que era perigoso ser um judeu a andar pelas ruas.

Mas John não ligou, estava tão animado por finalmente ter um lugar aonde ir. Ele andou de bicicleta por Budejovice, cruzou a ponte e foi em direção aos limites da cidade. Ele chegou à piscina natural e quem foi a primeira pessoa que viu? Foi Beda, seu grande amigo. Beda tinha saudades de sua irmã, Frances, que já estava na casa de sua tia havia alguns meses.

A piscina natural, pintada em 1941.

Quando viu John, seu rosto se iluminou. Os garotos se cumprimentaram com alegria e olharam ao redor. Cerca de sessenta garotos e garotas já estavam no rio e mais estavam chegando.

Quando John viu Rita Holzer, seu rosto ficou muito vermelho. Ele tinha uma paixão secreta por Rita, uma menina de rosto redondo e cabelos cacheados cujo apelido era Tulina (*tulina*, em tcheco, significa fofinha). Ela era uma menina bonita com olhos grandes e belos e uma risada contagiante. John estava contente por Tulina ter ido à piscina natural, isso deixaria as coisas ainda mais interessantes. Porém, ele era muito tímido para falar com ela ou para mostrar que gostava dela. Talvez superasse isso com o tempo, mas, naquele momento, era hora de se divertir.

Um dos garotos mais velhos sugeriu que eles jogassem futebol, o esporte mais popular na região. Os meninos formaram times e o jogo começou. John adorava jogar futebol, era um dos seus jogos favoritos. Ele corria com a bola, chutando-a pelo gramado em frente ao rio, driblando de um lado para outro, tentando fazer um gol. Outros jogadores maiores e mais fortes tentavam empurrá-lo e tirá-lo do caminho, mas isso não o fazia parar. Nas laterais, as crianças torciam e pulavam. "Talvez Tulina esteja me vendo", John pensou enquanto corria e chutava a bola com ainda mais força. Quando o jogo terminou, todos estavam exaustos, mas felizes.

Naquela mesma tarde, Beda e John jogaram uma partida de xadrez ao lado do rio, movendo as peças pelo tabuleiro preguiçosamente e deitando-se para deixar que o sol da primavera os banhasse.

John olhou para seu grande amigo.

— Você volta amanhã? — ele perguntou.

Beda concordou com a cabeça.

— Não há outro lugar onde eu prefira estar.

8
Dias de verão na piscina natural
Julho de 1940

Dia após dia, John, Beda e outras crianças voltavam à piscina natural, onde encontravam seus amigos. Eles passavam os dias quentes praticando esportes. O futebol era o favorito, mas o vôlei vinha logo em segundo lugar. Nos finais de semana, até os adultos iam assistir e jogar. Quando julho chegou, duas mesas de tênis haviam aparecido na área de diversões. Desde que não estivesse ventando muito, as crianças podiam jogar tênis de mesa ao ar livre, batendo na bola com suas raquetes bastante gastas.

As bolas usadas nesses esportes muitas vezes iam parar nas águas do Moldava. O rio nessa região era frio e a corrente era perigosa, mas, pior do que isso, a água era imunda, o esgoto flutuava na superfície. Eles discutiam para decidir quem ia recuperar a bola perdida na água, mas não por muito tempo, ou a bola desaparecia para sempre, varrida pela rápida corrente. Por fim, alguém corajoso tomava a iniciativa de resgatar a bola e devolvê-la à margem e os jogos continuavam, parando somente quando a bola voltava a cair dentro do rio!

Um jogo de tênis de mesa na área da piscina natural. Ruda é o garoto alto no centro, usando um traje de banho. John é o segundo garoto à direita de Ruda na foto.

Quando estava muito quente, as crianças iam nadar. A primeira vez que John e Beda deram um mergulho, seguraram o fôlego e fecharam os olhos.

— O que quer que você faça — disse Beda —, não coloque a cabeça embaixo d'água.

John concordou cem por cento. O rio fedia, mas o ar estava sufocante de tão quente e mesmo essas águas imundas eram convidativas, assim, os meninos foram em frente e entraram. Algumas pessoas até traziam boias e flutuavam preguiçosamente.

John sempre ficava de olho em Tulina. Do canto do olho, observava se ela estava olhando em sua direção. Se ela olhasse para ele, ou sorrisse e acenasse, ele ficava feliz.

Todos tinham de pagar para entrar na área de diversão, cerca de dez centavos de coroa tcheca para crianças pequenas e vinte centavos para as mais velhas. Mesmo sendo difícil conseguir dinheiro, os pais de John sempre lhe davam os trocados necessários para ir à piscina natural. O garoto que recebia o dinheiro era o mesmo que limpava a cabana e a área toda. Ele havia sido contratado pelos pais das crianças para ficar de olho em tudo que acontecia na piscina natural e insistiu em ser pago pelos seus serviços.

— Dez centavos — ele exigiu quando John e os outros formaram fila para entrar.

John (usando a bandana) e seus amigos na piscina natural.

— E se não pagarmos a você? — gritou um garoto, que estava empurrando os outros para chegar ao começo da fila.

— Se vocês não pagarem, eu fecho o local — o menino gritou de volta. — Todos têm de pagar para entrar.

Ele não tinha autoridade real para fechar a piscina natural, mas ninguém queria discutir muito.

— Eu dou cinco centavos — uma menina pequena argumentou, mexendo no bolso para pegar o dinheiro.

— Dez centavos ou podem desistir de entrar.

Era a palavra final, todos tinham de pagar e, gostando ou não, eles não podiam ficar na piscina natural sem aquele garoto. Ele também era salva-vidas, nadava para salvar as crianças mais fracas que às vezes eram carregadas pela forte corrente.

Quando o tempo estava ruim, a velha cabana era o lugar para onde iam. Estava em péssimas condições, com tábuas apodrecidas que rangiam se o vento fosse muito forte, mas oferecia proteção contra a chuva, que era muito necessária. Lá, as crianças cantavam e jogavam. A contínua competição entre John e Beda no xadrez estava feroz. Beda era quieto, mas muito inteligente. Mesmo sendo mais novo do que John, geralmente era ele quem ganhava no xadrez.

Todos os dias, no caminho para a piscina natural, John procurava o vendedor de doces. As crianças o chamavam de velho senhor Papa e seu carrinho estava sempre cheio de doces, maçãs e barras de chocolate. Podiam encontrá-lo na sombra da ponte da grande estrada de ferro, perto da piscina natural. Sempre que podia pagar, John comprava um bombom do senhor Papa. As crianças faziam fila para comprar os doces e os que não tinham dinheiro ficavam por perto, esperando ansiosamente que um amigo generoso oferecesse uma mordida.

No final de cada dia, quando a noite ia chegando, as crianças sabiam que tinham de voltar para casa. Uma por uma, elas deixavam a área de diversões, relutantes em abandonarem seus amigos e seus jogos. Às sete horas, aqueles que haviam ido a pé começavam sua longa caminhada para casa. Às sete e meia, John e os outros que iam de bicicleta sabiam que também tinham de ir embora. Estava ficando tarde e o toque de recolher logo entraria em vigor. Judeus pegos nas ruas após as oito horas eram punidos.

Quando John subia em sua bicicleta a cada noite, ele olhava para trás, para a área de diversões, e sabia que voltaria logo cedo no dia seguinte.

John e Karli Hirsch na piscina natural.

9
A ideia de Ruda
Agosto de 1940

Como todos os outros judeus da cidade, Ruda Stadler, de quinze anos, estava frustrado com as regras que corroíam a sua liberdade cada vez mais, dia a dia. Ele odiava as leis e os nazistas que as tinham escrito. Mais do que tudo, ele odiava não poder ir à escola. Ruda era um rapaz alto, forte e em boa forma. Era talentoso e tinha lido muito. E era inteligente.

— Como podemos simplesmente sentar e obedecer a essas regras? — ele perguntou à sua irmã, Irena.

Ela era apenas um ano mais velha, ele podia dizer a ela coisas que não revelaria a mais ninguém.

— Quero parar o trabalho que estou fazendo e voltar à escola — ele anunciou, desafiadoramente.

Quando Ruda foi obrigado a deixar a escola, ele se tornou aprendiz de confeiteiro e aprendeu a fazer doces. Era bom ter doces para trazer para casa, mas ele não gostava de seu trabalho. Queria estar na escola, queria aprender e usar sua mente.

Irena sorriu para seu irmão, ela admirava seu jeito inquieto.

— Ruda, você pensa demais — ela disse. — Por que não pode simplesmente seguir as regras e parar de questionar tudo?

— Mas você odeia o que está acontecendo tanto quanto eu — Ruda argumentou. — Você gosta do fato de que tivemos que trocar de apartamento porque nosso pai não pode trabalhar?

Como os Neubauer e muitos outros, os Stadlers haviam sido obrigados a sair de seu espaçoso apartamento para economizar dinheiro. Eles passaram a viver em um único cômodo em um porão.

Irena fez que não com a cabeça.

— Você gosta do seu trabalho? — ele continuou, confrontando sua irmã.

Irena estava tendo aulas em um lugar onde — como Frances — aprendia costura. Porém, ela detestava saber que uma educação de verdade estava sendo negada a ela. Mesmo sendo uma excelente e criativa costureira, ela não ficava feliz com sua habilidade.

— Você sabe que não gosto — ela disse, suspirando. — Eu quero voltar à escola, assim como você. Não gosto de nada do que aconteceu conosco e com nossos amigos, mas não há nada que possamos fazer.

Essa não era uma resposta boa o suficiente para Ruda. Tinha de haver alguma coisa que ele pudesse fazer. Ele não estava disposto a ceder a essas infinitas novas leis. Ele não gostava quando os adultos o mandavam seguir regras injustas que não faziam nenhum sentido. Ele tinha de achar um jeito de ser ouvido. Mas como?

Nesse meio tempo, a área de diversões de verão perto da piscina natural era um refúgio bem vindo, um lugar para Ruda relaxar e, pelo menos por um curto tempo, abandonar suas frustrações. Como os outros, ele se tornou um visitante frequente. Assim que terminava seu trabalho, seguia para lá. Seu esporte favorito era o vôlei, ele era bom e admirado pelos outros jogadores. Recebeu o apelido de "escavador" por causa da maneira como recebia as bolas que eram mandadas para ele. Com as duas mãos unidas na altura da cintura, ele pegava a bola como se tivesse uma pá, "cavando" a bola desde perto do chão e mandando-a para cima.

Encontrando-se todos os dias, os jovens judeus da cidade sentiam-se ligados uns aos outros. Ruda percebeu isso e quis encontrar uma maneira de fortalecerem esse laço e se sentirem ainda mais fortes. "Deve haver mais coisas que possamos fazer aqui", ele pensou certo dia, deitado sob o sol perto do rio. Atrás dele, as crianças pequenas estavam jogando uma frenética partida de futebol, correndo de um canto ao outro do campo, gritando e dando empurrões de brincadeira. "Praticar esportes é bom, mas por quanto tempo poderemos continuar só brincando?", Ruda pensou. "Somos mais inteligentes do que isso. Podemos estar proibidos de ir à escola, mas todos aqui têm um cérebro e deviam usá-lo bem. Além disso, os dias quentes de verão logo irão acabar e ficará frio demais para virmos aqui. E, então, o que faremos todos os dias? Como ficaremos em contato uns com os outros?"

E, assim, em um dia de agosto de 1940, a reposta surgiu em sua cabeça. Ruda havia sido um escritor talentoso na escola. Ler e escrever histórias eram duas das atividades de que mais gostava. Escrever seria a maneira perfeita de continuar usando sua cabeça, de encontrar uma válvula de escape para sua energia e criatividade. Porém, dessa vez, não iria escrever apenas para si mesmo, ele iria escrever para os jovens da piscina natural. Começaria um jornal, uma revista que provaria que os jovens judeus podiam fazer mais do que simplesmente brincar. Ele iria incentivar a comunidade, principalmente as crianças, a se unir e a usar a imaginação.

Na vez seguinte em que foi até a área de diversões, levou uma velha máquina de escrever com ele. Por sorte, ainda funcionava. Também levou um pouco de papel, foi para a velha cabana, sentou-se e pensou. Em primeiro lugar, ele queria apresentar o jornal para os outros e explicar a sua finalidade. Ele precisava convencê-los de que havia uma maneira melhor de passarem o tempo.

Ele se sentou em frente à máquina de escrever e escreveu esta apresentação:

> Uma vez que já gastamos todo tipo de diversão que pode ser realizado em nossa bela área de natação, eu gostaria de esboçar algumas linhas sobre as pessoas que vêm para cá todos os dias e acrescentar alguns comentários engraçados sobre elas.

Depois, partiu para o trabalho, listando os nomes de todos os jovens que iam à piscina natural todos os dias e tentando pensar em algo interessante para dizer sobre cada um.

> ❑ Karel Freund é o terror da piscina natural. Ele grita e ameaça todo mundo... Recomendamos que você não passeie de bicicleta com ele.
>
> ❑ John Freund é melhor do que seu irmão, Karel, mas ele é uma ameaça para os outros. Ele evitou um acidente em uma ponte da estrada de ferro perto daqui.
>
> ❑ Anka Frenklova gosta de comer, como prova sua cintura em expansão.
>
> ❑ Irena Stadler tornou-se uma mãe para todas as garotas, pequenas e grandes...
>
> ❑ Dascha e Rita Holzer são visitantes fiéis da piscina natural...
>
> ❑ Herta Freed é uma menina esperta que sabe muitos idiomas...
>
> ❑ Suzu Kulkova é uma garota fácil de lidar e seu coração pertence a Uli, o jogador de futebol... Também é uma excelente goleira de rúgbi.

Kathy Kacer

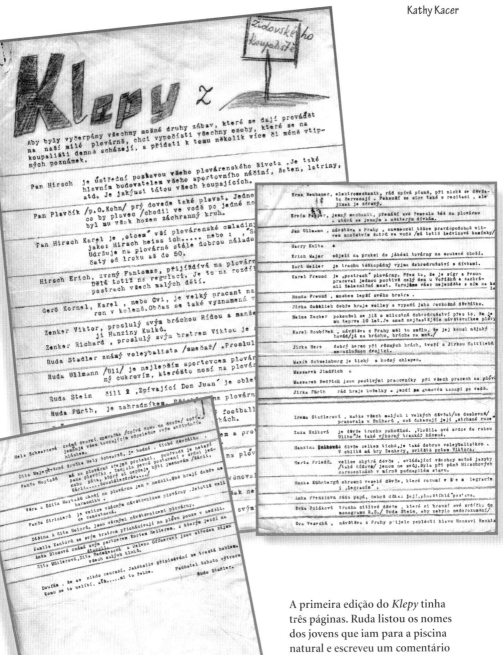

A primeira edição do *Klepy* tinha três páginas. Ruda listou os nomes dos jovens que iam para a piscina natural e escreveu um comentário engraçado sobre cada um deles.

Ruda trabalhou sozinho, sem contar a ninguém o que estava fazendo. Ele guardou segredo, escrevendo e pensando sobre sua missão. Ele tentou imaginar se as pessoas levariam o jornal a sério, até pensou se algumas ficariam ofendidas com os comentários a respeito delas. No seu primeiro editorial, ele escreveu:

```
Este jornal foi criado por Ruda Stadler. Sou o único
responsável pelo seu conteúdo. Se as pessoas não
gostarem dele, ou se ficarem ofendidas, devem entrar
em contato comigo.
```

"Vou escrever uma edição do jornal e ver o que acontece", ele pensou. "Se ninguém gostar, não escreverei mais". Ele reuniu informações como um repórter investigativo e compilou o que descobriu em três páginas datilografadas.

Depois, pensou durante algum tempo no nome do jornal. Ele queria que fosse leve. Por fim, decidiu chamá-lo de *Klepy*, que, em tcheco, significa "fofoca". Era o título perfeito.

Em 30 de agosto de 1940, Ruda produziu a primeira edição do *Klepy*. Ele fez apenas uma cópia. Já era muito difícil fazer isso, seria impossível duplicá-la. Ele decidiu que faria o jornal circular entre todos os jovens da piscina natural e veria qual seria a reação deles.

Uma folha de assinaturas acompanhava o jornal. Quando as pessoas terminassem de ler o *Klepy*, deveriam assinar seus nomes na folha, acrescentar um ou dois comentários e passar o jornal para outra pessoa. Dessa maneira, todos teriam a chance de ler o novo e ousado experimento. Quanto a Ruda, tudo o que lhe restava fazer era sentar e esperar. Iriam gostar do seu jornal? Ficariam irritados, ou, pior, entediados? O que iriam dizer?

"Klepy" significa "fofoca" em tcheco. Este desenho de uma mulher fofoqueira estava na capa da maioria das edições.

10
Todos amam o *Klepy*

Ruda não podia acreditar na resposta animada que saudou seu novo jornal. Em toda a área de diversões, os jovens estavam ansiosos para colocar suas mãos no jornal e ler o que ele havia escrito. Uma criança mal acabava de ler o *Klepy* e a próxima já o agarrava. Elas não apenas amaram o experimento, mas queriam mais.

— Você tem de fazer outra edição — disse Reina Neubauer.

Ruda concordou.

— Não posso acreditar no sucesso que essas poucas páginas fizeram — ele disse. — Estou tão contente. Eu sabia que podíamos fazer mais do que jogar futebol aqui.

Escrever aquela primeira edição do *Klepy* foi emocionante e ele queria fazer mais. Porém, era muito trabalho e não queria mais fazê-lo sozinho.

— Se vou fazer outra edição, vou precisar de ajuda.

Ruda abordou alguns de seus amigos, Rudi Furth, de dezesseis anos, e seu irmão de catorze, Jiri. Juntos, falaram com um rapaz, Karli Hirsch.

A equipe editorial original (de cima para baixo), Ruda Stadler, Karli Hirsch, Rudi Furth e Jiri Furth.

— Com mais pessoas envolvidas, podemos fazer disso algo realmente importante — Ruda disse. — Não apenas algumas páginas de descrições, mas um jornal de verdade, com reportagens e artigos significativos.

Os outros meninos concordaram com entusiasmo. Eles queriam fazer parte do jornal também.

— Como sou o fundador do jornal, vou escrever o editorial — Ruda continuou —, mas o que mais devemos incluir?

Os garotos pensaram e pensaram.

— Esportes! — Jiri disse. — O jornal tem de ter essa sessão. Foram os esportes que nos trouxeram até aqui em primeiro lugar, é o que nos faz voltar todo dia. Todos terão interesse em ler sobre as partidas de futebol daqui.

— Talvez poesia — Karli acrescentou. — Podemos escrever poemas sobre a piscina natural e por que adoramos ficar aqui.

— Não queremos que seja muito sério.

— Isso, tem de haver diversão no jornal também.

— E tem de chamar a atenção de todos, jovens e velhos.

À esquerda: o editorial de Ruda na segunda edição do *Klepy* descrevia as regras da piscina natural. À direita: a segunda edição do *Klepy* incluía um poema, que incentivava os jovens a encontrarem maneiras de manter a amizade entre eles quando o verão acabasse.

A discussão continuou com cada garoto acrescentando seus pensamentos e ideias. Ruda escutou, correndo a mão por seus cabelos grossos e cacheados. Haveria tanto a fazer se fossem produzir um jornal de verdade, mas ele estava animado e seus pensamentos estavam em alta velocidade, com energia e entusiasmo.

Em 15 de setembro, a segunda edição do *Klepy* saiu. Ela começava com um editorial de Ruda, que descrevia o que a área de diversões e a piscina natural significavam para os jovens judeus de Budejovice. Ele escreveu:

```
Na metade do verão de 1940, foi dada a permissão
para o estabelecimento de uma área de natação para
judeus. Viva para nós, temos um lugar para brin-
cadeiras, esportes e diversão. Desde 16 de junho,
temos aproveitado a área de diversões para nossa
comunidade.
```

Ele continuava explicando as regras da piscina natural com algumas, irônicas, criadas por ele.

```
Se você for menino e entrar por engano na cabine
que serve de vestiário para as meninas, encontrará
uma tempestade de gritos femininos. Se uma menina
se enganar e entrar na cabine dos meninos, ela será
bem-vinda com alegria.
```

A segunda edição também incluía um poema, incentivando os jovens a encontrar uma maneira de continuar a amizade e a lealdade entre eles quando o verão acabasse:

```
É tão boa nossa área de diversão,
Com uma cabana pequena e divertida.
Mas quando o inverno chegar, com gelo
por todo o chão,
Não teremos mais saída.
Precisamos então, crianças judias,
De uma cabana perto da cidade.
Onde se tornem reais as nossas fantasias
Com músicas e jogos e sons de felicidade!
```

Quando Ruda fez circular a segunda edição do *Klepy*, a reação foi ainda melhor que na primeira vez. As crianças deram risada das piadas bobas, gostaram da poesia e se divertiram com os artigos esportivos. Mais do que isso, os adultos de Budejovice também queriam ler o *Klepy*. Passá-lo de mão em mão na área de diversões não era suficiente, ele passaria a circular por toda a comunidade judaica. O *Klepy* havia se tornado um grande sucesso.

11
De volta à escola
Setembro de 1940

À medida que agosto dava lugar a setembro e a terceira edição do *Klepy* foi publicada, as crianças precisavam mais do que nunca da mensagem otimista de amizade e camaradagem que o jornal trazia. O poder de Adolf Hitler aumentava e sua perseguição aos judeus estava em ascensão. Seus exércitos estavam se espalhando pela Europa, vencendo país após país. Às vezes, parecia que nada poderia conter os nazistas. Todas as noites, John ouvia as transmissões de rádio com seus pais e as notícias continuavam piorando. A Itália e o Japão haviam se unido à Alemanha, assim como a Hungria, a Romênia e a Eslováquia. A Dinamarca e a Noruega haviam sido derrotadas. França, Bélgica e Luxemburgo haviam caído e o mesmo aconteceu aos Países Baixos. A Grã-Bretanha estava lutando com coragem contra bombardeios aéreos sem fim. Canadá, Austrália e Nova Zelândia permaneciam ao lado da Grã-Bretanha, mas os Estados Unidos recusavam-se a entrar na guerra.

Os pais de John recebiam cartas de membros da família que moravam em outros países, elas contavam o que acontecia em cidades da Polônia e da Alemanha, onde grandes áreas sofriam bloqueios. Os judeus estavam sendo obrigados a se mudarem para guetos, a deixarem suas casas e pertences e morarem em apartamentos apertados, muitas vezes dividindo espaços minúsculos com outras duas ou três famílias. A comida era escassa dentro dos guetos e, mesmo se houvesse comida disponível, o dinheiro estava ainda mais em falta. Crianças e adultos ficaram doentes e principalmente os idosos corriam risco. E, a cada dia, mais e mais judeus chegavam de cidades e vilas vizinhas e a aglomeração, a escassez e os problemas de saúde pioravam.

— Por mais quanto tempo isso pode continuar? — a mãe de John perguntou certa noite enquanto ouvia notícias em tcheco transmitidas da Grã-Bretanha para rádios de ondas curtas. A estação de rádio tcheca estava nas mãos dos nazistas, é claro, mas os britânicos traduziam as notícias para todos os idiomas da Europa, para contar a verdade às pessoas e revelar as mentiras de Hitler.

O pai de John afirmou com a cabeça.

— As notícias dos outros países não são boas, mas, pelo menos, estamos todos juntos aqui e ainda estamos na nossa própria casa, mesmo tendo de dividi-la. Pense nas famílias que têm de abandonar suas casas na Polônia e na Alemanha e ir para os guetos.

— Isso nunca poderia acontecer aqui, poderia? — a mãe perguntou.

O pai não sabia responder.

— Mas e quanto ao dinheiro? — ela continuou. — Neste ritmo, nossas economias acabarão em pouco tempo. E do que viveremos então?

— Precisamos nos acostumar a comer menos — ele respondeu. — Menos carne e pão sem manteiga.

Ele viu o olhar de sua esposa e acrescentou rapidamente:

— Só por enquanto. Vou voltar a trabalhar em breve, tenho certeza.

John virou-se para o outro lado. Ele odiava ver seu pai sem trabalhar e sua mãe tão infeliz, mas ele não queria pensar na guerra e nas coisas piores que aconteciam em outros países. Com certeza nunca haveria guetos em Budejovice! Apesar de alguns lugares serem proibidos para judeus, John ainda podia andar pelas ruas e brincar com seus amigos. Embora as restrições a famílias judias estivessem aumentando, a guerra não o assustava. Ele era jovem e corajoso, queria praticar esportes com seus amigos e até tinha um trabalho a fazer todo dia.

Seu trabalho era entregar mensagens para as famílias judias da cidade. Ele ia de bicicleta de casa em casa, deixando um recado em cada uma. Esse recado informava às pessoas que deveriam listar todas as suas propriedades e pertences para as autoridades nazistas. Elas eram obrigadas a anotar tudo: quantos anéis, pulseiras ou peças de prata elas tinham, quanta terra possuíam, o nome e o valor das suas empresas.

John nunca havia parado para pensar que, ao coletar informações sobre as famílias judias, ele estava na verdade ajudando os nazistas.

— Você não percebe que está ajudando a levar essas informações para as mãos dos inimigos? — Beda perguntou certo dia, quando John parou na sua casa.

A última coisa que queria era colaborar com o inimigo, mas era verdade que ele havia sido mandado para esse serviço pelo Kile, o conselho judeu... e as ordens do Kile vinham dos nazistas. Ainda assim, John tinha de continuar com seu trabalho. Ele tentava tirar o melhor proveito que podia da situação, até cantava enquanto ia de bicicleta de porta em porta. Porém, em pouco tempo, o dilema acabou. Sua bicicleta, como todas as outras coisas, teve de ser entregue aos nazistas.

Havia chegado o momento de John e as outras crianças voltarem para a escola. O outono estava se aproximando e, logo, ficaria frio demais para irem à piscina natural. Apesar de a escola normal ter sido proibida para as crianças judias, era importante elas poderem dar continuidade à sua educação de alguma maneira. E, assim, em setembro, elas começaram a ter aulas com o senhor Frisch.

A família de Joseph Frisch tinha uma empresa de carvão na cidade. Ele era um jovem e talentoso judeu que, no seu tempo livre, tocava baixo na orquestra da cidade. Ele também estava estudando para ser professor. Quando a escola foi proibida para as crianças judias em Budejovice, o senhor Frisch organizou grupos de crianças para irem até a sua casa e terem aulas.

Senhor Joseph Frisch, o professor (uma imagem do *Klepy*).

As turmas eram pequenas, apenas cinco ou seis crianças por vez. As aulas começavam cedo, mais ou menos às oito da manhã, e iam aproximadamente até as duas da tarde. Crianças entre oito e treze anos frequentavam essa escola cinco dias por semana e tinham aulas com o senhor Frisch e alguns meninos e meninas mais velhos que o ajudaram.

O senhor Frisch estava feliz por ter essa oportunidade de continuar a lecionar. Ele havia arrumado pequenas mesas em sua sala para que as crianças sentissem que estavam na escola de verdade. E as aulas eram difíceis. As crianças estudavam álgebra, latim, história e gramática. Elas tinham tarefas para fazer depois da aula e lição de casa nos fins de semana.

Na primeira vez em que John entrou na casa do senhor Frisch, ele viu Tulina sentada a outra mesa. "Pelo menos, com ela aqui, as coisa ficarão mais interessantes", ele pensou. Ao olhar pela sala, ficou feliz por ver que Beda também estava lá.

Na sala de estar do senhor Frisch, as crianças puderam dar continuidade até ao seu ensino religioso. O rabino Ferda ia até lá uma vez por semana para ensinar hebraico e estudos religiosos. Antes da guerra, a maioria desses alunos não havia estudado tanto a sua religião quanto estava estudando naquela escola. Não havia mais esperanças de faltar às aulas.

A primeira namorada de John, Tulina (Rita Holzer), do *Klepy*.

Às vezes, o rabino Ferda era pessimista em relação ao futuro.

— O nosso destino ao longo da História é como uma linha vermelha de perigo, tecendo seu caminho através do tempo — ele pregava.

John se perguntava o que ele queria dizer com aquilo. É claro que era um momento difícil, mas com certeza tudo ficaria melhor e a guerra acabaria logo. "Mal posso esperar para que isso aconteça", ele pensava. "E mal posso esperar para sair desta aula!" Secretamente, ele ansiava para que cada dia acabasse.

12
A equipe de reportagem

No início do outono de 1940, quando John e seus amigos haviam voltado à escola, uma das poucas coisas que eles tinham para mantê-los unidos era o *Klepy*. O jornal estava fazendo o que Ruda tinha esperado que fizesse, estava servindo como um elo entre as crianças judias de Budejovice, o único lugar em que seus pensamentos e ideias podiam ser reunidos e compartilhados com todas as outras pessoas. Ele era ainda mais importante agora que eles não podiam mais se encontrar na piscina natural. John e seus amigos liam as histórias do jornal em voz alta uns para os outros e, depois, aguardavam ansiosos pela edição seguinte.

Em 6 de outubro de 1940, a quarta edição do jornal foi produzida. Nessa época, o *Klepy* tinha uma linda capa colorida, desenhada por um jovem artista que usava o nome de Ramona. Ramona era, na verdade, Karli Hirsch, um dos editores naquele momento e o responsável pelos desenhos, que estavam se tornando uma das principais atrações do *Klepy*. Com frequência, ele pegava fotografias reais dos jovens de Budejovice e acrescentava suas próprias ilustrações, transformando essas fotos em alegres

Os repórteres clandestinos

Em sentido horário, a partir da foto superior à esquerda: o *Klepy* frequentemente incluía desenhos, histórias, reportagens esportivas, histórias em quadrinhos e uma seção de humor. Esta coluna de esportes lista as dez regras do espírito desportivo. A página de humor tem piadas sobre trens e a história em quadrinhos também traz piadas e adivinhações. No canto inferior, à esquerda: Karel Freund e sua namorada, Suzie Kopperl. A legenda diz: "você é a única pessoa do mundo".

80

desenhos e histórias em quadrinhos. E como o projeto havia crescido! A quarta edição tinha oito páginas e incluía uma coluna de esportes, poesias e histórias de detetive.

A equipe de reportagem também estava crescendo. Rudi e Jiri Furth faziam parte do grupo editorial desde o começo, Reina Neubauer estava começando a escrever poemas para o jornal, Dascha Holzer, irmã de Tulina, escrevia histórias, junto com Suzie Kopperl. Suzie era a namorada de Karel Freund, ela já havia escrito diversos poemas para o *Klepy*, inclusive um sobre Karel. Outros escritores, como Jan Flusser e Arnos Kulka, colaboravam regularmente com o jornal.

Ruda sabia que o *Klepy* era uma linha de comunicações vital para os jovens judeus de Budejovice, assim como para toda a comunidade judaica. Também era importante para ele, particularmente. Quando trabalhava no *Klepy*, quase conseguia superar a escuridão que cobria sua vida, mas manter o jornal semana após semana, mês após mês era muito trabalhoso. Ele começava o dia indo trabalhar na fábrica de doces. Irena levava o almoço para ele lá, muitas vezes saía correndo do seu próprio trabalho como costureira para levar comida ao seu irmão mais novo. Quando seu dia de trabalho acabava, ele se encontrava com Jiri, Karli e os outros escritores para trabalhar no *Klepy*. Tinham o cuidado de terminar a reunião antes do toque de recolher para os judeus, que começava às oito da noite, mas, às vezes, alguns deles trabalhavam até tarde da noite e, depois, esgueiravam-se até suas casas pelas ruas escuras, atentos aos soldados nazistas que faziam a patrulha.

Geralmente, eles se encontravam no apartamento de Ruda para organizar o jornal. Ele tinha sua máquina de escrever, os papéis e outros materiais que estivessem disponíveis. Quando os materiais acabavam, juntavam o pouco dinheiro que tinham para comprar mais papel e lápis. Por sorte, os judeus ainda podiam fazer compras em algumas lojas, em alguns horários do dia.

— Sobre o que vamos escrever este mês? — Ruda perguntou aos seus repórteres quando se sentaram à mesa no pequeno apartamento de sua família, planejando a quinta edição. Uma luz forte brilhava acima de suas cabeças, lançando sombras escuras em seus rostos concentrados. Juntos, debruçaram-se sobre os poemas, desenhos e piadas que haviam sido enviados. Às vezes, liam as histórias em voz alta um para o outro, ansiosos por uma segunda opinião ou incertos sobre onde colocar o texto.

— Essas histórias são divertidas — disse Ruda, pensativo, ao ouvir Jiri Firth ler uma —, mas acho que precisamos escrever sobre assuntos sérios também.

Ruda acreditava que, além de ser divertido, o *Klepy* também poderia se tornar um fórum onde ideias importantes seriam discutidas.

— Devemos ter cuidado — argumentou Reina Neubauer. — Não queremos que os nazistas descubram muitas coisas sobre nós. Se pensarem que é um jornal político, podem nos fazer parar.

Reina era um jovem sério que adorava escrever histórias. Antes de a guerra começar, ele muitas vezes ajudava sua irmã nas tarefas de redação. O resultado disso era que Frances frequentemente recebia notas altas que ela não havia realmente conquistado sozinha.

Os repórteres examinaram os artigos para aquela edição e separaram as suas tarefas. Ruda sempre escrevia o editorial, era seu trabalho como criador do *Klepy*.

— Precisamos de mais um editorial que incentive as pessoas a escreverem para colaborarem conosco — disse Dascha Holzer.

Kathy Kacer

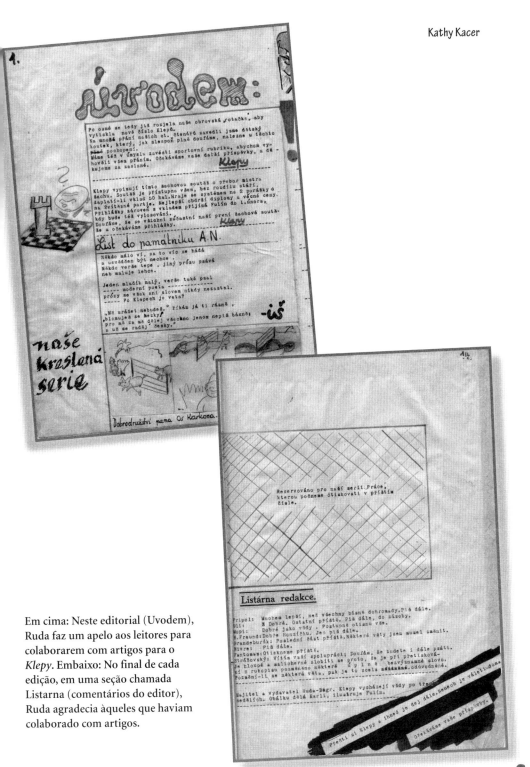

Em cima: Neste editorial (Uvodem), Ruda faz um apelo aos leitores para colaborarem com artigos para o *Klepy*. Embaixo: No final de cada edição, em uma seção chamada Listarna (comentários do editor), Ruda agradecia àqueles que haviam colaborado com artigos.

Os repórteres clandestinos

Ruda morava nesta rua de Budejovice. A foto mostra como ela está hoje.

Ela era uma menina esperta e segura com cabelos castanhos, cacheados e rebeldes.

Ruda concordou com a cabeça e sentou-se em frente à máquina de escrever.

"A todos os leitores — ele escreveu —, claramente, suas contribuições diminuíram. Entendemos que a temporada de natação terminou e, assim, o interesse em nosso jornal pode ter caído. No entanto, precisamos manter o *Klepy* vivo."

Ele encostou para trás, satisfeito com a sua abertura.

Incansavelmente, Ruda e seus amigos examinaram em detalhes as muitas piadas e enigmas de palavras que haviam recebido, reduzindo a lista de itens que iriam aparecer na edição seguinte na seção de humor. Os poemas também faziam muito sucesso, assim, Ruda selecionou os que completariam aquela edição. As histórias vieram em seguida, junto com a coluna de esportes. Já era outono, os eventos esportivos haviam terminado e a coluna de esportes era uma lembrança querida dos dias mais quentes.

O último passo era fechar o jornal com um clima alegre. Isso também era trabalho para Ruda. Ele era responsável por uma seção chamada "Listarna" (Comentários do editor) no final de cada edição, na qual agradecia a quem havia enviado histórias e artigos. Também acrescentava um ou outro comentário sobre as diversas colaborações. Ele sabia que era importante agradecer a todos que escreviam, era a única maneira de incentivar outras pessoas a enviarem seus trabalhos, e mais envios eram necessários para manter o jornal vivo.

Havia muito sobre o que pensar. Eles trabalharam febrilmente, escolhendo onde as fotos ficariam e criando manchetes e legendas. Por fim, chegou a hora de começar a datilografar. Ruda curvou-se sobre a máquina de escrever e datilografou, sem muita habilidade, as histórias e os artigos escritos à mão. Ninguém reparou que o tempo foi passando enquanto as páginas eram datilografadas uma e outra vez. As imagens foram coladas nelas para abrilhantar as histórias. Cada página teve de ser revisada diversas vezes, Ruda não queria erros no *Klepy*.

Por fim, Ruda ficou em pé, sorriu e apertou as mãos de seus amigos. Eles deram tapinhas nas costas uns dos outros, se abraçaram e se deram os parabéns. A quinta edição do *Klepy* estava pronta para circular.

13
O convite de Ruda

Certa manhã, John saiu cedo para ir à casa do senhor Frisch. O céu estava escuro e ameaçador e as nuvens pareciam prontas para explodir com chuva. Nada era pior do que um dia frio e chuvoso que não conseguia decidir se era outono ou inverno e acabava sendo uma mistura caótica dos dois, ele pensou. Ele puxou o colarinho da sua jaqueta para cima, em torno do seu pescoço. A jaqueta era velha e estava desgastada nas mangas. Havia sido passada de Karel para ele, mas já estava começando a ficar justa em John também. Ele retomou o ritmo da caminhada, ficaria encharcado se não se apressasse. E, realmente, as primeiras gotas geladas estavam caindo quando ele virou a esquina para chegar à escola. Quando chegou à casa do senhor Frisch, caía uma chuva forte.

Lá dentro, os olhos de John encontraram-se com os de Beda e eles dois foram para mesas no canto da sala de estar. Eles pegaram seus cadernos e esperaram o senhor Frisch começar a aula. John bocejou no momento em que os olhos do professor viraram-se com severidade na sua direção. O dia mal tinha começado e ele já se sentia cansado.

— Atenção, alunos, silêncio, por favor.

A turma se acomodou enquanto o senhor Frisch começava a falar:

— Antes de começarmos hoje, Ruda Stadler pediu para falar com vocês por alguns instantes.

Com isso, o senhor Frisch voltou-se para Ruda, que havia entrado na sala e dirigiu-se para frente da turma.

Neste editorial, Ruda pede artigos mais sérios. Ele escreve: agora, a edição quatro do *Klepy* foi lançada. O maior crédito é daqueles que colaboraram, já que, sem eles, não haveria uma edição. No entanto, muitos ainda não escreveram nem uma linha para o *Klepy*. Eu também gostaria de receber colaborações mais sérias. Com certeza, podemos ter muitas ideias que podem se tornar assunto para uma discussão aberta no *Klepy*.

John se alegrou. Ele gostava de Ruda e sempre o teve como modelo por causa de seu talento nos esportes. Qualquer pessoa que pudesse bater em uma bola de vôlei como Ruda era um herói aos olhos de John. Porém, naqueles dias, ele também admirava Ruda por causa do *Klepy*. Na verdade, a maioria das famílias judias da cidade gostava de Ruda e de sua determinação em continuar com o *Klepy*.

Ruda encarou as crianças.

— Levante a mão quem já leu o *Klepy*.

Todos levantaram a mão e algumas crianças deram uma risada baixinha. "Que pergunta boba", John pensou. "Claro que todos nós já lemos".

— Levantem a mão se tiverem gostado do que leram até agora.

Novamente, todas as crianças levantaram a mão bem alto. Até o senhor Frisch levantou sua mão.

— O motivo de eu estar aqui — Ruda continuou — é pedir que cada um de vocês entre para a nossa equipe de escritores. Só podemos manter o *Klepy* vivo se cada um de vocês se tornar um repórter. Não basta ler o jornal e não é bacana ler o que alguém escreveu, sentar e criticar. Vocês também têm que escrever, precisamos de mais artigos. Para o jornal continuar crescendo, todos têm de se envolver.

Ruda fez uma pausa para que sua mensagem entrasse na mente de todos. John olhou para Beda, cujos olhos estavam brilhando. Beda adorava escrever, esse era o convite que ele estava esperando.

— De que tipo de artigos vocês precisam? — Tulina perguntou.

— Qualquer coisa — Ruda respondeu. — Escrevam alguma coisa sobre sua família ou seu bichinho de estimação. Escrevam algo sobre a piscina natural, todos adoram ler sobre nossa área de diversões. Eu sei que era mais fácil fazer o jornal no verão, quando estávamos todos juntos, mas, agora, mais do que nunca, precisamos continuar em contato. O *Klepy* pode nos ajudar a fazer isso.

— Todos os dias — Ruda continuou —, chegam novas regras sobre o que podemos ou não fazer. Bem, a única coisa que não pode sofrer restrições é nossa mente. Ninguém pode nos impedir de pensar. Portanto, estou pedindo que usem suas mentes e escrevam alguma coisa.

Os repórteres clandestinos

— Podemos fazer desenhos? — Beda perguntou.

Ruda fez que sim com a cabeça.

— Claro. Desenhem imagens ou caricaturas. Escrevam sobre as pessoas de quem gostam ou as pessoas que são interessantes para vocês.

Ele olhou para John e Tulina e John ficou muito vermelho. Parecia que os outros sabiam de sua queda por ela.

— Escrevam piadas ou histórias em quadrinhos. Levem todos os artigos para a minha casa. Prometo que meus editores e eu leremos tudo que enviarem, não importa se forem textos longos ou curtos.

Ele fez uma pausa e se aproximou dos alunos.

— Pensem em ver seu nome impresso e em como vão se sentir com isso. Nosso jornal é pequeno, mas pode ter uma influência positiva em nossas vidas. Sei que cada um de vocês tem algo para contribuir, algo importante a dizer.

Com isso, ele agradeceu ao senhor Frisch por permitir que ele falasse com a turma e foi embora.

As crianças começaram um burburinho, animadas. Muitas pegaram seus cadernos e começaram a escrever. Ruda as tinha inspirado tanto que elas não perderam tempo para começar. Quanto a John, sua cabeça estava girando, ele também queria escrever alguma coisa. Ele poderia ser um repórter colaborador? Ele pegou seu caderno e ficou olhando a página em branco e imaginando qual poderia ser sua primeira contribuição.

14

Um novo repórter

— Chegou! — gritou John, irrompendo pela porta de seu apartamento com outra edição do *Klepy* nas mãos.

— Que maravilha! — sua mãe respondeu. — Deixe-me dar uma olhada.

John balançou a cabeça.

— Primeiro eu — ele disse e foi para um canto, onde poderia ler o jornal sem ser interrompido. Aquela edição do *Klepy* trazia o seu primeiro artigo e ele queria vê-lo sozinho. Ele folheou as páginas, parando para ler algumas das histórias. Sua mãe ficou por perto impaciente, esperando sua vez de ler. Por fim, John virou uma página e lá estava.

```
COMO MEU PAI, UM MÉDICO, CONSERTOU MINHA CABEÇA

Por John Freund, 10 anos

  — Mamãe, por favor, me dê dinheiro, eu preciso cor-
tar o cabelo.
  — É melhor pedir ao papai, filho. Ele vai dar o di-
nheiro para você.
```

Os repórteres clandestinos

Assim, fui falar com meu pai. Ele estava sentado à escrivaninha.

— Você sabe, é um momento difícil e não temos muito dinheiro. Como sou médico, estou acostumado a examinar cabeças. Vou cortar seu cabelo e raspar sua nuca também.

Assim começou. Papai pegou a navalha e começou a raspar a parte de trás do meu pescoço. Não ficou ruim. Depois, pegou uma tesoura e começou a retalhar meu cabelo. Vocês não acreditam no que um médico pode fazer...

O primeiro artigo de John no *Klepy*, "Como meu pai, um médico, consertou minha cabeça

— Ai! — eu berrei de repente, quando meu pai fez um corte na minha orelha.

Minha mãe, na cozinha, escutou o berro e veio correndo. Ela abriu a porta e quase desmaiou. Quase não havia sobrado cabelo na minha cabeça. Corri para o espelho. Por um momento, não sabia se ria ou chorava. Minha mãe começou a gritar com meu pai, até que ele cedeu e me deu 25 centavos para ir ao barbeiro. Quando entrei na barbearia e tirei o boné, o barbeiro gritou:

— Que tipo de artista cortou seu cabelo?

Por sorte, o barbeiro conseguiu consertar o que o médico havia destruído!

92

John estava muito animado por ter se tornado um repórter colaborador do *Klepy*. Ele rapidamente foi para o final do jornal, para a folha de assinaturas, para escrever seu nome e seus comentários. Ele espiou os comentários que já estavam lá. A maioria das pessoas adorava o *Klepy* e seus comentários tinham grandes elogios. Algumas pessoas tinham sugestões para o que queriam ver no jornal. Outras até criticavam o jornal e seus artigos.

John pegou uma caneta e começou a escrever: "De primeira linha. O jornal fica cada vez melhor. Logo, terá cem páginas, o que é bom. Mal posso esperar que isso aconteça".

Depois, passou o jornal aos seus pais para que tivessem a chance de ler e registrar seus comentários. Eles riram quando leram o artigo sobre o corte de cabelo.

— Eu não sabia que você era um escritor tão bom — sua mãe disse, orgulhosa.

— Como poderei sair na rua depois do que você escreveu sobre mim? — seu pai brincou.

Toda edição do *Klepy* incluía uma folha de assinaturas pedindo que os leitores assinassem seus nomes e comentassem aquela edição. Nesta folha, John escreveu: "De primeira linha. O jornal fica cada vez melhor. Logo, terá cem páginas, o que é bom."

Qualquer desculpa para rir trazia uma sensação boa naqueles dias. A risada era um modo de esquecer as crueldades da guerra, uma maneira de sentir que a vida estava normal. Já mais nada da vida em Budejovice parecia com o habitual.

Ficava cada vez mais perigoso andar pelas ruas e os judeus estavam proibidos de entrar em determinadas partes da cidade. As prisões estavam se tornando corriqueiras, já que os judeus desapareciam de repente das ruas. John se perguntava para onde iam aquelas pessoas quando ouvia seus pais cochicharem sobre o desaparecimento deste ou daquele conhecido ou colega.

— Seremos presos? — John perguntou aos seus pais. — Ou amontoados em uma pequena cabana? — ele acrescentou, lembrando-se do que havia escutado sobre os guetos na Polônia e na Alemanha.

— Não — seu pai respondeu com rapidez —, estamos seguros aqui em nossa casa.

Quando Ruda ficou sabendo dessas novas prisões, teve menos certeza sobre a sua segurança. Ele acreditava que era apenas questão de tempo até que os judeus de Budejovice fossem tão maltratados quando aqueles de outras cidades. Como poderia pensar o contrário? Desde que as primeiras leis contra os judeus haviam sido proclamadas, a situação continuava a piorar.

Contudo, ele acreditava na força dos seus textos e no poder que vinha do *Klepy*. À medida que cada edição do jornal era publicada, ele continuava a pedir que os jovens escrevessem mais. E eles faziam isso. Contribuíam com artigos, poemas e desenhos. Cada edição era maior que a anterior e mais elaborada. O jornal cresceu de cinco páginas para 15 e, depois, para 25. Os jovens escreviam apesar das restrições impostas a eles e apesar dos medos que pudessem ter. Eles escreviam para reivindicar sua liberdade.

Foi isso que Ruda realmente fez com a criação do jornal. Ele uniu a comunidade judaica de Budejovice e deu a ela algo pelo que lutar.

15

Frances em Brno
Fevereiro de 1941

Bem longe, em Brno, Frances Neubauer estava se sentindo muito sozinha e tinha muita saudade de sua família. Tia Elsa e seu primo Otto eram maravilhosos e a faziam se sentir em casa, mas ela tinha então 14 anos, e já estava longe da família havia mais de seis meses. Não tinha ideia de quanto tempo mais ficaria separada dela.

Tia Elsa morava com seu filho, Otto, em um apartamento confortável. A irmã de Elsa, Josie, uma mulher mais velha, bastante rígida, que nunca havia se casado, também morava com eles. Josie administrava a casa, preparando as refeições e realizando todas as tarefas domésticas. Ela gostava daquele trabalho e a família adorava sua comida feita com amor e as tarefas executadas de maneira meticulosa. Frances dividia um quarto com Elsa, Josie tinha um quarto só para ela e Otto também.

Os judeus de Brno viviam sob restrições parecidas com as de Budejovice. Frances não podia ir à escola, ao cinema, à sinagoga ou ao parque. Seus únicos amigos eram adolescentes judeus que haviam sido apresentados a ela por sua tia. Ela gostava da companhia de Otto, ele tinha 17 anos, a mesma idade de Reina e era um companheiro carinhoso e divertido. Porém, ela sentia falta de sua casa.

O único contato que Frances tinha com sua família era pelo correio. As cartas de sua mãe eram cheias de descrições das mudanças em Budejovice. Sua mãe estava sempre preocupada com a guerra e o impacto dela nas famílias judias. Porém, suas cartas também traziam notícias maravilhosas sobre o *Klepy* e a colaboração dos irmãos de Frances com o jornal. Reina já havia escrito várias histórias e poemas. Frances não ficou surpresa ao ler cópias desses textos, mas ficou contente por saber que até Beda estava escrevendo histórias para o jornal. Lendo as cartas vindas de casa, ela se enchia de saudades da família e até tinha inveja. Se ainda estivesse em Budejovice, também poderia escrever para o *Klepy*.

Enquanto isso, Frances estava se tornando uma costureira primorosa. Tia Elsa era talentosa na costura, sua habilidade era muito admirada e ela ainda tinha um ateliê de sucesso, apesar das limitações a empresas de judeus em Brno. Seus clientes continuavam fiéis a ela e continuavam a lhe trazer trabalho enquanto outras empresas judias estavam sendo fechadas. Tia Elsa pagava Frances pelo trabalho e ela podia mandar dinheiro para sua família em Budejovice.

Todos os dias, Frances sentava-se ao lado de sua tia na sala de estar bem iluminada vendo-a criar modelos para os clientes que a visitavam regularmente. Tia Elsa cortava seus próprios moldes e ensinou a Frances como medir cada mulher e desenhar um vestido único e perfeito. Era uma tarefa desafiadora, mas Frances prestava atenção e aprendia rápido. A primeira roupa que ela mesma costurou foi um lindo vestido azul-pavão com colarinho de renda branca e elegantes bolsos pontudos. Orgulhosa, ela desfilou com o vestido para a sua tia, que elogiou seu talento.

— Estou tão orgulhosa do quanto você está aprendendo. Em pouco tempo, você será uma excelente criadora de vestidos — disse sua tia, acariciando seus cabelos cuidadosamente ondulados.

"Queria que meus pais pudessem ver isso", Frances pensou com tristeza. Ela amava sua tia e estava agradecida por sua generosidade, mas ansiava por voltar para casa.

Certo dia, Frances saiu para comprar jornal. Ela se aproximou de um parque perto do apartamento de sua tia e parou. O parque era proibido para os judeus, mas o caminho ao redor dele para chegar à banca que vendia jornal era tão longo.

Ela tremeu e olhou ao seu redor, não havia ninguém à vista. "Que mal tem?", ela pensou. "Ninguém vai me ver". E o parque era tão convidativo. Ele a lembrava dos bons tempos que ela havia passado com seus irmãos brincando no parque perto da sinagoga. O sol brilhava, lançando sombras escuras no caminho, os galhos balançavam no ar frio, quase acenando para ela entrar. Ela respirou fundo e passou pelos portões.

Imediatamente, Frances teve uma sensação de liberdade e independência. Ela podia sentir o aroma das pinhas e imaginava como ficaria o parque quando o inverno acabasse e as flores estivessem se abrindo. Parou e se curvou para admirar um pequeno riacho com sua camada transparente de gelo fino e, depois, ergueu-se rapidamente e continuou a andar. Ela não podia perder tempo, por mais que quisesse saborear aquele momento.

Ao virar uma curva no coração do parque, ela subitamente congelou. Dois soldados em uniformes nazistas vinham caminhando em sua direção. Eles a tinham visto? Sim... tinham!

A mente de Frances começou a trabalhar em alta velocidade e ela sentiu um frio na barriga. O que deveria fazer? Se corresse, pareceria suspeito. Havia apenas uma coisa a fazer, continuar andando e esperar que eles não reparassem que havia algo errado. "Desde que eu aja com calma, nunca perceberão que sou judia", ela pensou, lutando para se recompor. Ela curvou a cabeça e seguiu em frente, tentando controlar as fortes batidas do seu coração. Mais dez passos e ela cruzaria com os soldados. Mais cinco passos e estaria salva. Mas não conseguiu deixar de olhar para o rosto dos soldados que se aproximavam. Eram meninos, não muito mais velhos que ela. "Como é possível", ela pensou, "que esses rapazes tenham se virado contra nós somente por causa de uma diferença de religião?" Não pareciam diferentes de Reina ou Otto.

Ela estava a apenas alguns passos de distância. "Estou salva", ela pensou. "Consegui e prometo que nunca, nunca vou fazer isto de novo". E, então, quando estava prestes a passar por eles, um deu um passo na frente dela, bloqueando a sua passagem.

— O que você está fazendo no parque? — ele perguntou, ameaçador.

Frances abriu a boca, mas não saiu nenhum som.

— Típica judia — o soldado zombou. — Ela é estúpida demais para falar.

Frances sentia-se quente e fria ao mesmo tempo. Como podiam saber que ela era judia? Ela não tinha um sinal em sua testa, não tinha nenhuma bandeira anunciando sua religião.

— Caia fora daqui! — o primeiro soldado berrou. — E não volte.

Frances virou-se e correu. Ela correu pelo caminho do parque, passou pelo lago, contornou as altas árvores e os arbustos e saiu pelo portão. Correu e correu e não parou nem quando chegou ao prédio de sua tia. Ela correu escada acima, passou pela porta e jogou-se no chão.

— Você teve tanta sorte — a tia Elsa gritou, quando Frances finalmente explicou o que havia acontecido. — Você podia ter apanhado ou ter sido presa. Não deve andar sozinha na rua de novo e nunca deve ir ao parque.

Frances concordou com a cabeça. Ela não precisava que lhe dissessem isso, sabia que nunca chegaria perto do parque de novo. Antes, todas aquelas leis e regulamentos eram assuntos oficiais. Agora — ela se lembrava dos sorrisos sarcásticos dos soldados — era pessoal. Eles a odiavam, odiavam sua família. Mas por quê?

16
Os repórteres clandestinos
Março de 1941

Em Budejovice, como em toda a Europa, as estações de rádio explodiam com discursos de Hitler regularmente. Ele proclamava que os judeus eram perversos e tinham de ser eliminados. Muitos alemães eram facilmente persuadidos a seguir seu hipnotizante líder, que prometia riqueza e melhores oportunidades de trabalho durante uma época difícil, desde que os judeus fossem mantidos no seu lugar. Além disso, aqueles que não apoiavam as políticas nazistas corriam o risco de serem presos. Os jornais também estavam repletos de artigos que culpavam os judeus pela guerra, pela pobreza e até pelas péssimas condições nas lavouras. Cidadãos de toda a Europa eram incentivados a se voltarem contra seus vizinhos e amigos judeus, ou corriam o risco de sofrer punições.

Nas ruas de Budejovice, os soldados nazistas estavam sempre em patrulha e prendiam judeus sem motivo se os encontrassem em locais públicos. Fiscais alemães eram levados à cidade para manter os judeus no seu lugar. Eram homens grandes e robustos, brutamontes que tinham prazer em bater em cidadãos judeus inocentes.

Certo dia, John aventurou-se a afastar-se diversos quarteirões de seu apartamento, chegando perto do centro da cidade. Ele sabia que era perigoso estar tão longe assim de casa, mas ansiava por ter, por apenas um momento, a liberdade que ele havia tido até dois anos antes: andar por onde quisesse.

Ele virou uma esquina, na direção dos cinemas. Quanto tempo fazia desde que fora ao cinema? Ele olhou para cima, para a marquise, para ver o que estava em cartaz e, rapidamente, um choque o trouxe de volta à realidade. O cinema estava anunciando um novo filme de propaganda que promovia a discriminação de judeus. Havia uma imagem feia de um judeu acuado e um soldado nazista orgulhoso ao lado dele. John virou-se e correu até sua casa. Depois disso, ele não se aventurou a sair vagando pela cidade novamente.

— Os únicos lugares aonde você pode ir são a casa do senhor Frisch para ter aulas durante o inverno e o outro lado da ponte, a piscina natural, no verão — seu pai disse. — Você ficará seguro desde que não se aproxime do centro da cidade.

Havia novos rumores agora, sobre lugares da Europa onde os judeus estavam sendo presos e enviados para longe de suas famílias, para prisões e campos de trabalho. As condições eram cruéis e as pessoas estavam morrendo.

Ruda lutava contra os crescentes rumores e péssimas previsões vindas de outros países. E, acima de tudo, ele lutava para encontrar uma forma de escrever sobre isso no *Klepy*.

— Não podemos ficar sentados, esperando por um futuro que pode nunca chegar — ele reclamou, certo dia, para seus repórteres.

Os jovens estavam reunidos no apartamento de Ruda, sentados ao redor da mesa da cozinha.

— Ninguém virá nos ajudar. Temos de assumir a responsabilidade de ajudarmos a nós mesmos.

— O que você acha que devemos fazer? — perguntou Reina Neubauer.

— Vocês ficaram sabendo do senhor Mayer? — perguntou Jiri Furth.

O senhor Mayer era o dono da loja de tecidos da cidade e tinha dois filhos.

— Ouviram-no criticar os nazistas. Fiquei sabendo que ele foi preso e ninguém sabe para onde foi levado, nem a família dele.

Ruda suspirou e concordou com a cabeça. Os nazistas haviam proibido todos de se manifestarem contra suas cruéis políticas. Não podiam escrever no *Klepy* sobre o desaparecimento do senhor Mayer, por exemplo, sem correrem o risco de serem punidos. Uma coisa era fazer um jornal com histórias engraçadas e piadas inofensivas, ninguém de fora da comunidade judaica se importava muito com isso. Mas, se escrevessem artigos protestando contra os nazistas ou reclamando das suas condições, alguém poderia denunciá-los.

— Seremos cuidadosos — Ruda concordou. — Mas ainda temos que dizer alguma coisa significativa.

Ele queria tanto se manifestar com força contra seus opressores. Ainda assim, ele sabia que tinham de manter um equilíbrio delicado entre diversão e tópicos mais importantes.

— Acredito que podemos resistir aos nazistas com artigos que falem da nossa força e união como judeus — ele disse. — Como este — ele apontou para um poema de uma edição anterior do *Klepy*.

Algum tempo antes, os homens judeus haviam recebido um comunicado para se apresentarem em um lugar no centro da cidade, onde receberam pás e ordens para limparem a neve das ruas. O *Klepy* havia publicado este poema sobre o grupo de trabalho forçado:

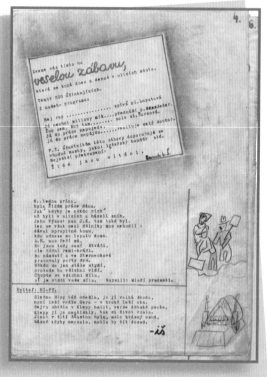

Este poema, intitulado "Depois de uma nevasca em janeiro", instigava os homens judeus a serem fortes e orgulhosos.

DEPOIS DE UMA NEVASCA EM JANEIRO

Hoje, judeus foram trabalhar,
Parecendo cansados, eles lim-
[param a neve...
Alguns tinham vergonha de serem
[vistos.
Abracem seu trabalho,
Para que possamos mostrar a eles
[nossa força!

Uma vez médicos, contadores, professores e empresários, esses homens estavam limpando as ruas. O poema era um lembrete de que ainda podiam manter as cabeças erguidas e trabalhar com orgulho.

— Esse é o equilíbrio que eu acho que devemos nos esforçar para conseguir — Ruda acrescentou. — Um artigo pode ser engraçado e o seguinte pode ser mais sério. Uma história pode ser leve e a seguinte pode encorajar os membros da comunidade a continuarem orgulhosos. Os dois lados da situação são importantes.

— Concordo com Ruda — disse a sincera Dascha Holzer.

Ela já havia escrito diversos poemas apaixonados para o *Klepy*.

— As piadas estão ficando cansativas. Além disso, como podemos continuar contando piadas quando as pessoas estão sendo presas? É hora de nos manifestarmos.

— Se nos manifestarmos como uma frente unida, pensem no poder que isso nos dará. Talvez outras pessoas nos apoiem também — Ruda continuou.

— Eu discordo — argumentou Karli Hirsch. — Não podemos falar de resistência pois não haverá mais jornal e nosso trabalho vai acabar. Temos de manter a leveza, é isso que a comunidade quer e de que precisa agora.

Seus desenhos ainda divertiam os leitores, apesar de suas preocupações estarem aumentando.

— Mas você não percebe? — exclamou Reina Neubauer. — O jornal em si é uma forma de resistência. Quase não importa o que a gente escreva, só o fato de o fazermos e de ele circular é o mais importante. É isso que está mantendo nossa comunidade em contato. Se formos obrigados a parar por falar demais, tudo isso será perdido.

Os repórteres ficaram discutindo. Alguns estavam determinados a manter os artigos do *Klepy* despreocupados e bem-humorados, dizendo que já havia muitas coisas para lembrarem o momento difícil que estavam vivendo. As pessoas precisavam rir e tentar esquecer seus problemas, não ler sobre eles no *Klepy*. Outros, como Ruda, acreditavam que os artigos ofereciam uma oportunidade de uma manifestação mais forte contra os nazistas e suas leis opressoras. Se isso os colocasse em perigo, seria um risco que valia a pena correr para o jornal continuar tendo importância.

Não houve solução para essa discussão, mas uma coisa era certa: o mundo havia se tornado um lugar obscuro. E, em Budejovice, uma das poucas coisas pelas quais esperar era o *Klepy*.

17
A excursão
Junho de 1941

Em um dia quente, o rabino Ferda, que era o encarregado pelas excursões escolares, anunciou aos alunos do senhor Frisch que iria levá-los para visitar o viaduto onde os rios Moldava e Malsa se encontravam. John ficou muito feliz, excursões como aquela eram um ponto alto para ele. As crianças gostavam da companhia do rabino Ferda e, melhor ainda, John e seus amigos poderiam faltar à aula. Era muito mais divertido estar lá fora do que preso na sala aprendendo latim!

Depois do almoço, eles partiram com o rabino Ferda. Em geral, era seguro as crianças saírem da cidade. Os nazistas não patrulhavam as áreas rurais com frequência, além disso, elas se sentiam mais livres no campo, longe das ruas opressivas de Budejovice. O rabino Ferda gostava de ser professor e guia. Naquele dia, o grupo estava bastante animado e ele teve de se esforçar muito para fazer as crianças continuarem andando. No caminho, John e os outros se distraíam com piadas bobas, jogando uma bola e empurrando uns aos outros, de brincadeira, para fora do caminho. Era uma longa caminhada e eles não pararam até chegarem à lagoa. Alguns se jogaram no chão,

Os repórteres clandestinos

exaustos, mas outros decidiram ir explorar. Eles engatinharam para dentro e para fora dos grandes canos que levavam a água do rio para a cidade.

Quando chegaram à pedreira, John e os outros encontraram um lugar para jogar futebol e lutar boxe. Quem poderia culpá-los por estarem animados? Estava quente e eles podiam correr e brincar livres pela primeira vez em meses.

John viu Tulina brincando com um grupo de meninas. Ele queria ficar perto dela e falar com ela. Ela era inteligente, engraçada e bonita, era difícil, para ele, esconder a queda que tinha por ela. Os outros estavam começando a notar e, às vezes, isso era constrangedor. Um artigo sobre John e Tulina já havia até aparecido no *Klepy*:

```
Há relatos de que, na semana passada, John foi visto
subindo as escadas para o apartamento da família
Holzer, seguido por vários garotos. Ele queria dizer
à sua futura sogra que está apaixonado por Tulina.
E, vocês sabem, um dos garotos que acompanhavam John
disse que alguns meninos o viram beijar a filha mais
nova dos Holzers. A senhora Holzer, embora contente,
porque o filho do pediatra local estaria interessado
na filha de uma das famílias judias mais pobres da
cidade, teve um ataque de raiva e mandou todos os
meninos escada abaixo.
```

Era uma mentira horrível! John gostava mesmo de Tulina e talvez até sonhasse em lhe dar um beijo, mas ele nunca havia beijado uma menina. Era difícil encarar Tulina depois de essa notícia ter sido publicada.

Naquele dia, ele juntou coragem e caminhou até onde ela estava.

— Quer jogar bolinha de gude comigo? — ele perguntou.

106

Em cima: esta foto/desenho de John chutando uma bola de futebol estava na capa da décima quinta edição do *Klepy*. A legenda diz que ele é um atleta que joga futebol e tênis de mesa. Embaixo: o artigo de Beda, intitulado "Lamento do aluno". Ele escreveu: "As férias chegaram. Não há mais trabalho. Não há mais aulas. Livres como pássaros. É um momento mágico. Era o que eu pensava, mas, em vez de comer, beber, ler e ir à piscina natural, tenho de levar o almoço para meu pai em seu trabalho forçado. Meu destino é ruim. A vida é como um navio cheio de tristeza".

Tulina concordou com a cabeça timidamente. John se sentou perto dela e ofereceu a ela a primeira bolinha grande. Ela a jogou, tentando acertar as pequenas no círculo. John ficou impressionado com a habilidade dela.

— Talvez possamos jogar de novo algum dia — ele disse, quando o jogo acabou.

Tulina sorriu e seus olhos escuros brilharam.

— Eu gostaria — ela respondeu.

John estava mais apaixonado do que nunca.

Ele voltou para o seu grupo, que estava descansando sob uma castanheira alta, cujos frutos estavam brotando. O sol brilhava entre os galhos derramados conforme eles balançavam com a brisa. John sentia-se tão feliz quanto aqueles galhos, movendo-se lentamente em um ritmo de primavera. Ele ergueu o rosto para o céu azul e respirou fundo. Depois, olhou para os meninos deitados sob a árvore. Beda estava lá, é claro, junto a Rudi Goldsmith, um garoto conhecido como Golias. Os outros dois eram Henry Kohn e Rudi Kopperl, meninos da idade de John e grandes amigos seus também.

— Por que não podemos fazer isso todo dia? — John perguntou. Ele adorava essas excursões com o rabino Ferda e todos os seus amigos.

— A caminhada é tão cansativa — Beda reclamou. — Eu preferia estar na piscina natural ou lendo um livro.

— Eu adoro a piscina natural também — disse John —, mas eu também gosto de ficar no campo.

Ele se virou para deitar de bruços. Debaixo de outra árvore, Tulina e um grupo de jovens garotas estavam deitadas, conversando e rindo. John ficou olhando para Tulina, vendo-a tirar os cachos castanhos de seu rosto redondo e bonito. Ela olhou para cima e acenou para ele. Ele corou e sentou-se de frente para seus amigos.

— Qual é a primeira coisa que você vai fazer quando voltarmos à piscina natural? — Beda perguntou.

— Jogar futebol — John respondeu. Ele adorava os dias de corridas e brincadeiras às margens das águas. — E você?

— Ainda estarei preso às minhas tarefas. Enquanto o resto de vocês está jogando tênis de mesa e xadrez, eu tenho de levar refeições para o meu pai enquanto ele está trabalhando.

Vários garotos concordaram com a cabeça em silêncio. Já era primavera e os trabalhos forçados haviam recomeçado para os homens judeus da cidade, inclusive o pai de Beda. Esses homens estavam sendo obrigados a dragar o rio, para aumentar a profundidade e evitar uma enchente na primavera.

— Estou pensando em escrever um artigo sobre isso para o *Klepy* — Beda continuou. — Vou contar as condições de trabalho dos homens que fazem esse serviço horrível.

Ao longe, o rabino Ferda os chamou, dizendo que eles tinham mais dez minutos para descansar antes de caminhar de volta para casa.

— Você acha que a guerra vai acabar logo? — Beda perguntou.

Falar sobre trabalho forçado levou sua mente ativa a pensar na guerra. Ele sabia, por conversas com sua família, que os exércitos de Hitler tinham atacado a Rússia havia pouco tempo. A guerra continuava a crescer. Ao mesmo tempo, talvez fosse útil se a Rússia, um país poderoso, ficasse ao lado da Grã-Bretanha. Ele esperava que isso acontecesse.

John encolheu os ombros.

— Eu não sei o que pensar sobre isso.

Os repórteres clandestinos

Os meninos que escreveram o contrato de sangue (da esquerda para a direita), Beda Neubauer, Rudi Goldsmith, Rudi Kopperl, Henry Kohn e John Freund.

Ele não gostava de conversar sobre a guerra, especialmente em um momento tão glorioso. Havia coisas para lembrá-los da guerra o tempo todo, mas, naquele dia, ele não queria pensar sobre restrições ou toques de recolher. Desde que tivesse seus amigos e dias assim, a situação não poderia ser tão ruim.

— Temos de jurar que seremos amigos para sempre — ele disse para todos os meninos do grupo.

— Quanto dura o para sempre? — perguntou Henry Kohn.

— Até nós ficarmos adultos, até ficarmos velhos — John respondeu.

— Vamos prometer nos encontrar aqui daqui a dez anos — disse Rudi Kopperl.

John concordou.

— Vamos nos encontrar no mesmo lugar, sob a mesma castanheira.

Os meninos compactuaram ansiosos.

— Mas tem de ser mais do que uma promessa — John acrescentou. — Temos de escrever, como um contrato, para mostrar que levamos a promessa muito a sério.

Beda tirou um pedaço de papel do seu bolso e um pequeno lápis. Primeiramente, ele listou os nomes dos cinco: John, Henry, os dois Rudis e ele mesmo. Depois, escreveu um contrato jurando que eles todos continuariam sendo amigos e voltariam àquele lugar em dez anos. Os meninos passaram o contrato uns para os outros e concordaram com um aceno de cabeça. Porém, aquilo ainda não era o suficiente para John.

— Agora, precisamos ter uma cerimônia especial e jurar que todos nós vamos seguir o pacto — ele disse. — E temos que assinar o acordo com sangue.

Os meninos aceitaram solenemente. Era um momento importante para eles, uma oportunidade de demonstrarem o quanto a amizade deles era valiosa. Apesar da guerra e da sensação de perigo que os cercava, tinham de se agarrar na esperança e na crença de que ficariam bem, que sua amizade e suas vidas iriam resistir. Esse juramento iria honrar e unir aqueles amigos.

Eles procuraram ao redor da castanheira e encontraram um graveto afiado. Um por um, eles enfiaram o graveto em suas mãos, picando um dedo e esfregando uma gota de sangue no contrato perto de seus nomes.

— Pronto — disse John, por fim satisfeito. — Essa parte está feita.

— Mas o que vamos fazer com isso? — perguntou Beda, olhando o contrato de sangue. — Qual de nós tem de cuidar dele?

Eles decidiram enterrar o contrato embaixo da castanheira, para que ele os puxasse de volta àquele lugar no futuro. Mais uma vez, começaram a

Os repórteres clandestinos

trabalhar, cavando um buraco embaixo da árvore. Enquanto cavavam, um dos meninos encontrou uma velha caixa de metal. Era o recipiente perfeito para preservar o contrato. Eles colocaram-no na caixa e fecharam a tampa, depositaram-na no buraco, cobrindo com terra. O contrato estava seguro.

Os meninos ficaram olhando para o local que esperavam que fosse seu ponto de encontro dez anos depois. Olharam seriamente uns para os outros, cumprimentaram-se e voltaram para perto do resto do grupo.

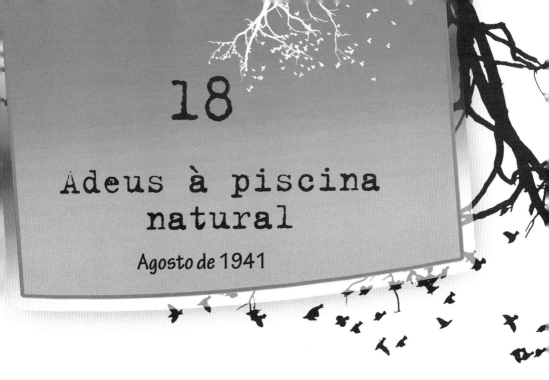

18
Adeus à piscina natural
Agosto de 1941

Certo dia, um novo decreto apareceu em Budejovice. Todos os cidadãos judeus eram obrigados a usar um distintivo em suas roupas com uma estrela de davi amarela, de seis pontas. Dessa maneira, seriam facilmente identificados como judeus. Os judeus de outras cidades e outros países eram obrigados a usar estrelas havia algum tempo. Alguns acreditavam que deviam usar esse símbolo da religião deles com orgulho.

Porém, John não se sentia muito orgulhoso de usar a estrela de davi, ele se sentia marcado e estigmatizado por ela.

— Devemos fazer o que nos mandam — disseram seus pais. — Ficaremos seguros desde que respeitemos essas leis.

Em Budejovice, os judeus passaram a ficar restritos a uma pequena área. Embora não fosse um gueto formal como os da Polônia e da Alemanha, as famílias sabiam que a maioria das ruas e lojas estava proibida para eles. Se eles se aventurassem longe demais, correriam o risco de ser punidos ou presos. Na maior parte do tempo, eles ficavam em seus apartamentos, cercados por amigos e familiares. O contato entre judeus e cristãos estava proibido.

A estrela de davi que todos os judeus foram forçados a usar.

Zdenek Svec, o grande amigo de infância de John, era o único cristão que se recusava a dar as costas para ele. De vez em quando, John fugia para encontrar Zdenek. Era bom conversar com seu velho amigo, fazia-o lembrar os dias em que tudo estava normal.

Pouco tempo depois disso, John entrou na cozinha de sua casa e encontrou seus pais lendo um pedaço de papel.

— O que é isso? — ele perguntou.

Naquela época, as ordens chegavam às casas das famílias judias regularmente.

Seu pai limpou a garganta antes de falar:

— Os nazistas fecharam a piscina natural — ele acabou dizendo bruscamente. — Sinto muito, John — ele acrescentou, vendo o choque no rosto de seu filho. — Temo que você e as outras crianças não possam mais ir até lá.

John não podia acreditar no que estava escutando. Como podia a área de diversão dele, o lugar onde ele e seus amigos passaram seus melhores momentos, ser proibida para ele? Não haveria mais torneios de xadrez nem partidas de futebol. Ele se virou de costas para os pais. Começou a entender, de um jeito que nunca havia entendido antes, como os nazistas estavam fechando o cerco ao redor deles todos.

Um mês depois, até as aulas do senhor Frisch foram suspensas.

Os dias pareciam eternos para John. Ele queria ficar com seus amigos. De tempos em tempos, ele podia encontrar Beda e jogar xadrez ou outros jogos dentro de casa, mas não havia mais torneios às margens da piscina natural, nem excursões.

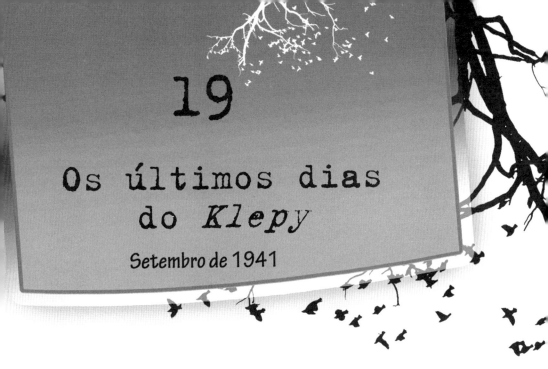

19
Os últimos dias do *Klepy*
Setembro de 1941

Em setembro de 1941, a vigésima edição do *Klepy* foi publicada. Embora Ruda estivesse orgulhoso de o jornal ter atingido aquele marco, ele também estava perturbado.

Ruda sempre escutava cuidadosamente o que os adultos ao seu redor conversavam. Ele ouvia transmissões de rádio e lia jornais sempre que podia. Sua experiência como repórter havia lhe ensinado a ser um observador perspicaz de detalhes, a fazer perguntas investigativas e a ler nas entrelinhas para achar a verdade. Pelas cartas que outras famílias judias haviam recebido, ficou sabendo dos guetos em muitas cidades da Europa. Lá, a comida era tão escassa que as pessoas estavam morrendo de fome. Ele podia ver a situação piorando para os judeus de toda a Europa.

— Por quanto tempo poderemos continuar escrevendo? — ele perguntou a Irena, certo dia, quando estavam sentados juntos. — Por quanto tempo poderemos fingir estar otimistas quanto ao futuro se a situação fica mais assustadora dia após dia?

Os repórteres clandestinos

Irena sorriu com tristeza para seu irmão mais novo. Ele sempre tinha sido sensível e perceptivo, sua intuição o havia levado a pensar em uma maneira de inspirar os jovens de Budejovice por meio da criação do *Klepy*. Essa mesma intuição estava desmoronando em cima dele, fazendo-o se sentir cada vez mais desmotivado.

— Não sei se consigo continuar escrevendo — ele continuou. — Cada vez que fico sabendo de prisões ou campos de trabalho pela Europa, penso que é apenas questão de tempo até todos nós sermos mandados para longe.

O *Klepy* era a tarefa mais significativa em que ele havia se envolvido, era uma missão que havia dado propósito e foco para a sua vida. Ruda sabia que ele e os outros repórteres haviam conquistado tudo o que tinham estabelecido originalmente. A reputação do *Klepy* foi muito além dos sonhos de Ruda. No entanto, ele agora sentia que tinha concluído sua missão. Ele sentia que não poderia mais escrever, era a hora de deixar o cargo de editor.

Ele chamou os seus repórteres para uma última reunião.

— Acabou para mim — ele disse. — Escrevi tudo que podia.

A princípio, sua equipe protestou.

— Você não pode parar, Ruda.

— Ninguém pode substituí-lo.

— O trabalho é muito importante.

Ruda concordou, mas disse:

— Para mim, chega. Além disso, eu realmente fiz tudo que planejei fazer. Olhem ao seu redor. As pessoas têm orgulho da nossa comunidade e orgulho de serem judias. Acredito que isso tem muito a ver com o nosso compromisso com o *Klepy*.

Em cima, à esquerda: a capa da vigésima edição com a equipe editorial original. Ruda está no centro com Rudi Furth (em cima, no centro) e Jiri Furth (em cima, à direita). A foto que falta (em cima, à esquerda) é de Karli Hirsch. Em cima, à direita: na vigésima edição do *Klepy*, Ruda abre mão do cargo de editor e incentiva todos a continuarem otimistas. Embaixo: fotos/desenhos da vigésima edição do *Klepy*.

Os meninos e meninas concordaram com a cabeça. Era verdade que havia um grande sentimento de orgulho dentro da comunidade judaica de Budejovice. Os nazistas podiam tê-la despido de suas propriedades e pertences, mas não de quem aquelas pessoas eram por dentro. O *Klepy* havia dado às pessoas dignidade nesse momento terrível.

— O que vai acontecer com o jornal? — Reina Neubauer perguntou.

— Talvez outra pessoa queira assumir — sugeriu Ruda. — Fico feliz por qualquer pessoa que fizer isso, se quiser.

Naquela tarde, Ruda sentou-se para escrever seu último editorial. Nele, voltou à proposta inicial do *Klepy*: "para dar voz ao orgulho da juventude judia da nossa cidade, para energizá-la visando conquistas físicas e mentais... Por dois verões, praticamos esportes, estabelecemos amizades e mantivemos o otimismo".

Ele finalizou o editorial dizendo: "espero encontrá-los novamente...".

Os comentários de Ruda eram fortes, mas um pouco tristes, como se ele não tivesse certeza de que haveria um futuro para o *Klepy* ou para os seus criadores. Em toda a cidade, as pessoas leram o editorial e se sentiram desoladas e cheias de incerteza.

Quando o verão de 1941 chegou, houve mais duas edições do *Klepy*. Milos Konig, um jovem garoto que havia escrito artigos para o jornal, assumiu o desafio de Ruda de levar o jornal adiante. Ele se tornou o editor para essas duas últimas edições, mas elas não se pareciam com o velho *Klepy*. Havia menos piadas e os artigos eram mais sérios, pois lembravam as alegrias do passado e traziam preocupações sobre o futuro. Continha poemas saudosos sobre memórias da piscina natural e provérbios solenes que lembravam as famílias dos sacrifícios.

Reina chegou à casa de Ruda para deixar a última edição.

— Não podemos fazer mais — ele disse. — Não é mais seguro nos encontrarmos e é impossível juntar informações para os artigos. Não podemos nem comprar materiais. Em nome de todos os repórteres do *Klepy*, estou trazendo a última edição para você.

Ruda pegou a cópia das mãos de Reina com o coração aos pedaços. Ele sentia falta de trabalhar no jornal, sentia falta de ser o líder e editor, mas, acima de tudo, ele sentia falta da liberdade que o jornal havia representado.

— Se alguma coisa acontecer conosco, esta coleção têm de ficar completa — Reina continuou. — Estamos confiando em você para achar uma maneira de fazer isso.

Ruda assentiu e fechou a porta. Ele olhou para a última edição do seu valioso jornal. Depois, foi até a mesa da cozinha, estendeu a mão para debaixo dela, pegou a caixa que guardava a coleção toda do *Klepy* e respeitosamente colocou a última edição no topo da pilha.

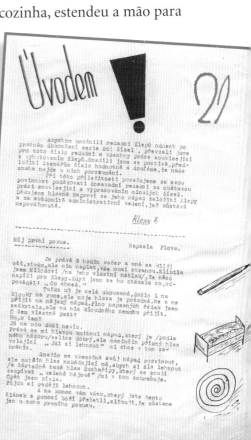

Um garoto chamado Milos Konig organizou as duas últimas edições do *Klepy* e escreveu os editoriais.

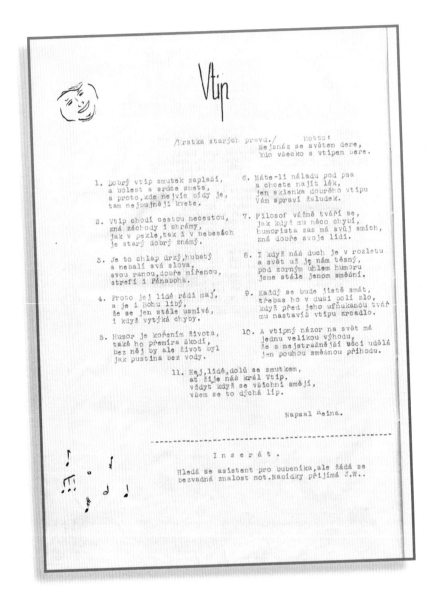

Na vigésima edição, Reina Neubauer escreveu este poema, intitulado "A piada". Um dos versos diz:

Portanto, pessoas, abaixo a tristeza!
Vida longa ao Rei da Piada.
Desde que possamos rir,
É mais fácil enfrentar os problemas.

20
Deportação
Novembro de 1941

No outono de 1941, Adolf Hitler havia finalizado seu plano para matar todos os judeus da Europa. Esse plano se chamava "Solução Final". Campos de concentração foram estabelecidos por toda a Alemanha e Polônia. Esses "campos" eram na verdade prisões criadas especificamente para matar o máximo de judeus possível, da maneira mais rápida. Seis deles seriam principalmente locais de extermínio: Auschwitz, Majdanek, Belzec, Sobibor, Treblinka e Chelmno. À medida que a hostilidade contra os judeus se intensificava, alguns guetos foram formados nas cidades. Esses lugares se tornaram centro de coleta, onde os judeus eram mantidos até poderem ser deportados para os campos de concentração.

Até então, as famílias judias de Budejovice haviam escutado sobre essas deportações, mas somente de lugares distantes. Porém, naquele momento, em cidades próximas, famílias estavam sendo presas e mandadas embora. Frances Neubauer soube disso na casa de sua tia, em Brno, onde judeus já estavam sendo deportados. Se sua tia fosse mandada embora, Frances provavelmente seria mandada com ela. Seria melhor voltar para a casa da sua família.

Logo antes de seu aniversário de quinze anos, em novembro de 1941, Frances entrou em um trem para retornar a Budejovice. Ela voltou para casa no último vagão do trem, aquele reservado para passageiros judeus. Ela não via seus pais, Beda e Reina havia mais de um ano.

Quando seu pai a viu pela primeira vez, ele sorriu amoroso e triste.

— Eu mandei uma garota e você voltou como uma moça — ele disse quando abraçou e beijou sua filha.

Não havia como se manterem seguros, mas, se algo fosse acontecer com eles, pelo menos estavam juntos.

Para economizar dinheiro, os Neubauer haviam se mudado para um pequeno apartamento, que dividiam com outras duas famílias judias — um total de onze pessoas vivia em um lugar apertado. O único banheiro ficava no corredor. Na cozinha, as mulheres sempre brigavam para decidir o que cozinhar e como preparar a comida. No final, não havia muito para discutir, já que era tão pouca comida.

Em 7 de dezembro de 1941, a guerra teve uma reviravolta dramática. O Japão atacou uma frota de navios de guerra dos Estados Unidos em Pearl Harbor, uma base norte-americana. O Japão era um forte aliado da Alemanha e os líderes japoneses achavam que, se destruíssem a frota norte-americana, poderiam expandir seu império para territórios ao redor do Oceano Pacífico. Foi um erro grave. Em 11 de dezembro, os Estados Unidos, indignados, declararam guerra contra o Japão e, assim, contra a Alemanha também. Sem o poder dos Estados Unidos, a Grã-Bretanha e seus aliados estavam sofrendo perdas terríveis. E parecia provável que Hitler dominasse todo o continente Europeu, inclusive a Grã-Bretanha. Nos meses seguintes, no entanto, a balança do poder finalmente começou a pender para o lado dos Estados Unidos e seus novos aliados, e não para a Alemanha.

Entretanto, levaria algum tempo para mudar o curso da guerra e fazer as tropas alemãs recuarem. Enquanto isso, em toda a Europa, os judeus continuavam a perder suas vidas nas mãos dos nazistas.

No início de fevereiro de 1942, todas as famílias judias de Budejovice receberam a notícia que mais temiam. Elas seriam transportadas para longe das suas casas. O destino era um lugar chamado Theresienstadt.

Os repórteres clandestinos

Capas de várias edições do *Klepy*.

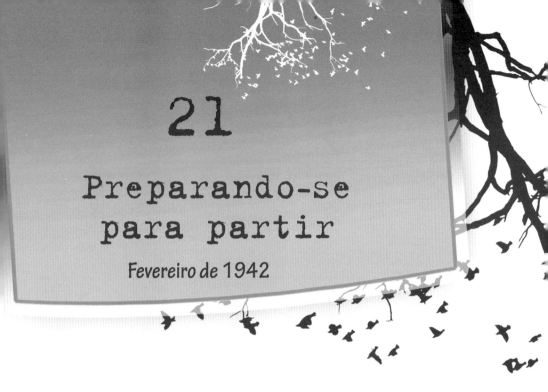

21
Preparando-se para partir
Fevereiro de 1942

Terezin é uma cidade pequena que fica cerca de sessenta quilômetros a noroeste de Praga, a capital da Tchecoslováquia. Em 1780, o imperador José II construiu um forte na cidade e deu a ele o nome de sua mãe, Maria Teresa. O forte foi construído para proteger a cidade de invasores, mas, em 1939, tropas alemãs ocuparam essa região da Tchecoslováquia e, em 1941, Terezin virou Theresienstadt, um campo de concentração.

Quando John e sua família ficaram sabendo que seriam mandados para Theresienstadt, tiveram esperanças de que as condições de vida lá fossem decentes e de que pudessem voltar logo para casa.

— As forças aliadas estão ganhando vantagem na guerra e os alemães estão começando a perder. Em três meses, a guerra terá fim — disse o pai de John com otimismo. — Além disso — ele completou —, Theresienstadt não é tão longe e, pelo menos, é aqui no nosso país.

De alguma forma, era uma ideia reconfortante. Desde que não saíssem de seu país, as coisas não poderiam ser tão ruins.

Quando os nazistas transformaram Theresienstadt em um campo de concentração, eles tinham muitos planos. O campo deveria abrigar judeus proeminentes da Tchecoslováquia, assim como alguns da Alemanha e de outros países da Europa Ocidental. Para muitos prisioneiros, Theresienstadt seria apenas uma acomodação temporária. De lá, eles seriam mandados para campos de concentração no leste.

Theresienstadt recebeu um disfarce de comunidade judaica "modelo". Isso significa que as pessoas eram enganadas e levadas a pensar que os judeus seriam bem tratados lá, que receberiam casas, comida adequada e atendimento médico apropriado. Supostamente, seriam mantidos lá para serem protegidos e teriam empregos. Essas mentiras serviam para convencer as pessoas de que os nazistas estavam tratando bem os judeus. Na verdade, as condições em Theresienstadt eram péssimas e o plano final dos nazistas era de mandar todos os prisioneiros para campos de extermínio no leste.

É claro que as famílias judias de Budejovice não tinham conhecimento do plano. Elas sabiam que havia pessoas sendo deportadas para o leste, tinham ouvido rumores de terríveis condições de vida e campos de extermínio, mas acreditavam que Theresienstadt era a exceção. Esperavam ir para um lugar onde ficariam em segurança até o fim da guerra e rezavam por isso.

John tentou pensar na mudança para Theresienstadt como uma aventura. A vida estava tão entediante em Budejovice. Sem a piscina natural e o *Klepy*, não havia nada para fazer nem nenhum lugar para reunir os amigos.

— Eu verei Beda em Theresienstadt? — ele perguntou à sua mãe.

— Provavelmente — ela respondeu. — Todas as famílias judias estão indo.

Perto dali, Beda e sua família também se preparavam para ir a Theresienstadt. Frances escreveu uma carta para o seu primo Otto, que ainda morava em Brno:

> Ontem, recebemos nossos números de transporte. O meu é 391, o de Beda é 392, o da mamãe é 393, o de Reina é 394 e o do papai é 395. Tio Moritz é o 361 e a tia Olga, 362. Na terça-feira, iremos para a fábrica de quadros do Kohn. Estamos fazendo as malas agora, eu estou cozinhando biscoitos. Não fique aflito, eu não me importo. Esperamos que seja somente por pouco tempo e, depois, nos veremos novamente.

A parte mais difícil da mudança foi decidir o que levar. Cada pessoa tinha permissão para carregar apenas cinquenta quilos de bagagem, o que não era muito. Deveriam levar roupas de inverno ou de verão? E quanto a livros, brinquedos favoritos, álbuns de fotos e comida?

— O que acontecerá com todas as coisas que deixarmos? — a mãe de John se preocupava.

Apesar dos perigos, Zdenek Svec continuou sendo amigo de John todo esse tempo. Naquele momento, a família de Zdenek ofereceu-se para ajudar. A mãe de John entregou seu casaco de pele, algumas obras de arte e vários tapetes caros para que a família Svec guardasse.

— Esconderemos suas coisas para você — a mãe de Zdenek prometeu. — Estarão esperando vocês quando voltarem. Espero que não demorem. Deus os guarde e abençoe.

22
Escondendo o *Klepy*

Ruda Stadler também estava decidindo o que levar para Theresienstadt. Ele olhou a caixa de jornais: vinte e duas edições do *Klepy* e vinte e duas folhas de assinatura. Ele folheou os jornais e pegou a primeira edição, três páginas simples de blá-blá-blá. Ele admirou o quanto o projeto havia crescido e se desenvolvido em dois anos, de três páginas até trinta, de fofocas infantis a artigos maduros, desenhos, piadas e poemas. Seus editoriais estavam lá, junto com os artigos escritos por tantas crianças judias de Budejovice. Haviam sido repórteres clandestinos e ele havia sido o líder.

— Você acredita que realmente fizemos isto? — ele perguntou à sua irmã, Irena, quando ela entrou no quarto. — Todos os dias, nos últimos dois anos, disseram-nos que não podíamos fazer isso ou aquilo, não podíamos ir aqui ou lá. E, mesmo assim, conseguimos criar algo tão especial.

— Foi você que fez isso — ela respondeu com orgulho.

— Não — Ruda insistiu —, todos contribuíram. O *Klepy* pertence a todos nós.

Ele pegou a caixa de jornais. Era pesada.

— O que faremos com eles enquanto estivermos fora? — ele perguntou, lembrando-se de seu compromisso de mantê-los em segurança.

— Podemos levar conosco — ela sugeriu.

Ruda balançou a cabeça.

— Não, não acho que seja uma boa ideia.

A coleção de jornais era pesada, ele precisava de espaço em sua mala para roupas e outros suprimentos.

— Talvez pudéssemos dividi-los — ela continuou. — Escolha alguns repórteres e entregue algumas edições para cada um. Não sei se manter a coleção toda junta é a melhor ideia.

Ruda pensou a respeito, mas, depois, balançou a cabeça novamente.

— Não, não importa o que aconteça conosco, eu acho que a coleção tem que ficar completa. De alguma forma, parece a coisa certa a fazer.

Ele fez uma pausa.

— Vamos ter de encontrar um lugar onde deixá-los enquanto estivermos fora.

— Não há onde escondê-los em nosso apartamento e não podemos deixá-los aqui expostos — ela disse. — Não sabemos o que vai acontecer com o que ficar na nossa casa enquanto não estivermos.

— Queria poder levá-los comigo — Ruda suspirou —, mas sei que é impossível.

Ele caminhou pelo pequeno apartamento.

— Onde podemos deixar os jornais para que fiquem seguros? Em quem podemos confiar para escondê-los?

Ruda e Irena acabaram bolando um plano. Sua antiga faxineira, uma cristã chamada Thereza, continuou sendo amiga deles, mesmo quando se tornou ilegal trabalhar para uma família judia. Ela saiu chorando da casa dos Stadler, prometendo ajudá-los no futuro. Havia chegado a hora de ajudar, deixar os jornais com ela era a única solução. Ruda confiava que ela fosse manter o *Klepy* em segurança.

Ele juntou os jornais em um grande pacote e saiu de casa. Correu pelas ruas de Budejovice, tomando cuidado para evitar soldados que pudessem estar patrulhando a área, agachando-se e contornando prédios para não ser visto. Por fim, chegou à casa de Thereza, ansioso e sem fôlego.

Uma foto/desenho de Ruda como líder destemido, do *Klepy*.

Quando viu Ruda na porta, Theresa puxou-o rapidamente para dentro de casa, olhando ao redor nervosa para ver se alguém o tinha notado. Era perigoso ser vista com um menino judeu e ainda mais perigoso esconder esse jornal judeu. Porém, quando Ruda explicou o que ele precisava que ela fizesse, ela não hesitou.

— Vou escondê-los, Ruda — ela prometeu. — Ninguém irá encontrá-los na minha casa e eles estarão aqui esperando por você quando você voltar.

— Eu agradeço muito — Ruda sussurrou.

Ela balançou a cabeça.

— É o mínimo que posso fazer por uma amizade que durou tantos anos.

— Voltarei para buscá-los — Ruda prometeu ao entregar o pacote de jornais — dois anos de trabalho, imaginação e engenhosidade. Ele sentiu como se estivesse entregando seu passado, sua vida. Por mais que quisesse acreditar que voltaria para casa, sentia-se profundamente incerto quanto ao futuro. Mesmo quando jurou voltar, sua voz tremeu e ele se sentiu triste e vazio ao ir embora.

Os repórteres clandestinos

Em cima: desenhos do *Klepy*. Embaixo: nesta edição, um artigo sobre o *Chanuca* inclui a seguinte passagem: "Tenha orgulho do seu povo, tão pequeno e ainda assim tão grande, bonito e louvável. O *Chanuca* nos impele a realizar atos bons e nobres e a ter um caráter forte. As velas do *Chanuca* brilhavam desde o glorioso passado. Deixe-as brilhar para o futuro, para que, ao trazerem de volta uma lembrança, também gerem esperança."

23
Saindo de casa
Abril de 1942

— Acorde! — a mãe de John chamou da cozinha. — Está tarde e temos que ir.

John rolou, se esticou e sentou na cama. Seus olhos percorreram o quarto, chegando, por fim, à mala perto da porta. Era terça-feira, 14 de abril de 1942, o dia em que ele e sua família, junto a todas as outras famílias judias de Budejovice, seriam forçados a sair de suas casas e ir para Theresienstadt.

Ninguém falou muito durante o café da manhã. O pai de John parecia triste e retraído, como se não tivesse mais respostas. A mãe andava pela cozinha empacotando bolinhos e queijo e qualquer comida que tivesse sobrado na casa. Enquanto se mantivesse ocupada, não teria de pensar muito no que viria em seguida. Todos terminaram o café da manhã e John voltou para o quarto para acabar de fazer a mala. Sua bola de futebol estava em um canto, junto com a raquete de tênis de mesa. Como ele queria levar esses brinquedos com ele! Mas esses e outros pertences queridos deveriam ser deixados para trás.

"Onde irei dormir?", ele pensou ao fazer sua cama pela última vez. "O que farei o dia todo? Ficarei com meus pais? Estarei perto dos meus amigos? O que vou comer? E se eu ficar doente? Minha mãe estará lá para cuidar de mim?". Tantas perguntas reviravam-se em sua cabeça. Ele estava preocupado com o que ia acontecer com todas as coisas que deixou em seu quarto, imaginava quando voltaria para casa, inquietava-se com quais leis teria de conviver em Theresienstadt e, para cada preocupação, simplesmente não havia resposta.

Ele terminou de se vestir e colocou uma última malha na sua mala. Respirou fundo e olhou seu quarto pela última vez, depois, com seus pais e seu irmão, saiu da sua casa.

Enquanto andavam pelas ruas quietas de Budejovice, John olhou para as casas do bairro. A maioria das cortinas estava fechada, como se as famílias cristãs não quisessem ver o que estava acontecendo aos seus vizinhos judeus. John imaginou quantas dessas famílias estavam felizes de ver os judeus indo embora e quantas estavam perturbadas e com medo, sem saber como ajudar.

A primeira parada para as famílias judias foi uma pequena casa na cidade, onde todas as pessoas tiveram de se registrar, identificando-se pelo número de transporte que já haviam recebido. As filas eram longas, mas todos esperavam pacientemente por sua vez de assinar seu nome e listar seu número. De lá, foram levados para um grande depósito, um prédio de madeira de dois andares que havia sido uma fábrica pertencente a uma família judia. O chão de madeira estava sujo, mas isso não impediu as famílias de delimitarem seus espaços e todos se jogaram exaustos no chão. Alguns colchões velhos estavam espalhados, mas a maioria das pessoas dormiu sobre as malas ou umas em cima das outras.

O depósito encheu rapidamente, até ficar lotado e barulhento. John tranquilizou-se ao ver muitos dos seus amigos. Lá estava Beda, junto a Frances e Reina. Ruda Stadler também, com Irena. O rabino Ferda andava pelo lugar falando em voz baixa com as pessoas, consolando aqueles que estavam assustados. Até o professor de John, Joseph Frisch, estava sentado em sua mala, lendo. As coisas não podiam estar tão ruins se todos ainda permaneciam, John pensou, consolando-se.

John e os outros caminharam pela fábrica, falando com amigos e parentes. E, assim, as crianças fizeram o que sempre fazem quando estão juntas, brincaram de pega-pega e correram entre as pessoas que estavam dormindo no chão, fazendo muito barulho. Elas até puderam ir para o lado de fora, para o pátio atrás da fábrica, onde ficaram lutando e se empurrando de brincadeira.

Depois de brincar um pouco com seus amigos, John foi para perto de sua família, encolhida no chão.

— Pegue — disse sua mãe, entregando a ele um bolinho. — Coma isto. Não sabemos quando sairemos daqui e devemos conservar nossas forças.

Eles comeram o pouco de comida que conseguiram levar. Depois, os guardas nazistas levaram sopa para o depósito e gritaram para que todos fizessem fila para comer. A sopa era rala e não muito apetitosa.

— O que vocês acham que vai acontecer quando chegarmos a Theresienstadt? — John perguntou a Beda quando os dois se sentaram em um canto.

Beda encolheu os ombros.

— Não sei. O que os seus pais dizem?

— Não muita coisa. Eles ficam dizendo que a guerra logo irá acabar, mas estão dizendo isso faz tempo.

— Você acha que vamos voltar para casa um dia? — Beda perguntou.

— É claro que sim! — John declarou, fingindo estar confiante.

Certa hora, todas as famílias receberam ordens para se reunirem no andar de baixo, no pátio, para serem contadas. Elas deixaram seus pertences em pilhas no chão e, lentamente, saíram. Foram reunidas em grupos, de acordo com os números de transporte, e aguardaram ansiosamente. Enquanto isso, os guardas caminhavam, contando as pessoas e verificando os números com as fichas de transportes que elas tinham nas mãos. Demorou muito para contarem mil pessoas e, por fim, as famílias puderam voltar para dentro do depósito e encontrar novamente seus lugares.

Quando voltaram para perto das bagagens, John viu Tulina sentada sozinha em um canto do depósito. Ela parecia assustada e John sentia muita vontade de consolá-la. Quando ele caminhou em sua direção, ela levantou os olhos e seu rosto se iluminou.

— Estou tão feliz por vê-lo — ela disse.

John concordou com a cabeça.

— Eu também — depois, fizeram uma pausa constrangedora.

— Você sabe por quanto tempo ficaremos aqui? — ela perguntou.

Seus olhos escuros estavam tristes, seu sorriso vivo e amável havia sumido.

— Alguns dias, eu acho. E, depois, vamos entrar nos trens. Não se preocupe — ele acrescentou —, ficaremos bem.

Novamente, ele parecia mais corajoso do que realmente se sentia.

Tulina sorriu para ele, grata por esse incentivo.

— Vou me sentar aqui com você — ele disse —, podemos conversar ou jogar.

Tulina concordou com a cabeça novamente e eles se sentaram juntos no depósito, conversando pouco, gratos pela companhia um do outro.

No quarto dia — sábado, 18 de abril — todos saíram do depósito e foram contados novamente, mas, dessa vez, não voltaram para dentro.

— Andem junto aos trilhos da ferrovia — os guardas gritaram. — Peguem seus pertences e entrem no trem.

Todos se atropelaram para conseguir assentos no trem, ansiosos para ficarem junto de suas famílias.

Os vagões lotados ficaram quentes e barulhentos. As portas foram fechadas com um estrondo e, por fim, o trem saiu da estação, deixando Budejovice para trás. John ficou com os olhos colados na janela enquanto sua cidade ficava cada vez menor e, finalmente, desapareceu. "Quando verei Budejovice novamente?", ele pensou.

Parte três

Uma rua da cidade de Terezin nos dias de hoje.

24

Theresienstadt

Abril de 1942

Quando o trem parou em Theresienstadt, John e os outros tiveram o primeiro exemplo do que deveriam esperar do lugar. Guardas violentos os cercaram, gritando ordens conforme os judeus desciam do trem e se reuniam na plataforma.

— Andem! — os guardas gritavam, chutando e empurrando quem andasse devagar.

Rapidamente, todos formaram uma fila, tentando evitar aquele abuso. Depois, marcharam em direção a um depósito, para esperar mais ordens.

Theresienstadt era uma cidade suja e improdutiva, formada principalmente por prédios de tijolos de três andares, muitos deles parecidos com os prédios de apartamentos de Budejovice, mas em condições precárias. Casas menores ficavam entre edifícios maiores. Esses prédios rodeavam uma grande praça cercada, um terreno baldio lamacento no centro da cidade. Um muro alto patrulhado pelos guardas fechava a cidade toda.

À esquerda: a praça central da cidade de Terezin nos dias de hoje. À direita: Um desenho dos prisioneiros da maneira como chegavam a Theresienstadt, carregando seus pertences.

A cidade estava lotada de prisioneiros judeus vindos de toda a Tchecoslováquia e outras partes da Europa. Homens, mulheres e crianças embaralhavam-se pelas ruas com as cabeças baixas, vestidos com trapos, andando silenciosamente. Soldados patrulhavam as pequenas ruas de paralelepípedos exibindo rifles. Cães de guarda contorciam-se em suas coleiras e latiam ferozmente para os prisioneiros que passavam.

No escuro depósito, as famílias procuraram cantos onde pudessem ter um pouco de espaço e privacidade, mas o lugar ficou cheio rapidamente e as pessoas tiveram que deitar apertadas umas nas outras. John dormiu pouco naquela noite, ele ficou deitado com a cabeça perto das costas de seu pai e os pensamentos girando em sua mente. Havia um sentimento de desespero no ar, podia senti--lo nos rostos cansados dos adultos ao seu redor. Ele podia vê-lo na tristeza nas ruas e nos prédios, nos guardas que patrulhavam as redondezas. E podia senti-lo nos apertos de fome que já estavam corroendo seu estômago. Ele se aproximou do seu pai buscando conforto.

No dia seguinte, eles tiveram de formar uma fila do lado de fora para serem contados novamente. John estava exausto e ficou em pé, tímido, na fila, imaginando se ganhariam um lugar de verdade para morar e quando receberiam comida. A contagem parecia não ter fim, mas os guardas acabaram chegando às famílias de Budejovice.

— Fiquem em filas! — eles gritaram com agressividade. — Homens na esquerda, mulheres na direita e crianças em uma fila separada aqui.

O coração de John bateu com força quando compreendeu o que diziam. As famílias seriam separadas! As mulheres estavam sendo mandadas para um grande barracão, os homens, para outro, e meninos e meninas, para outros dois. Houve uma grande confusão de pais em volta dele, agarrados aos seus filhos que choravam. John nunca havia ficado longe da sua família e, dentro daquela prisão cheia de muros, a ideia era ainda mais alarmante. Ele sentiu o terror subir pelo seu corpo. Para onde ele iria? Ele veria seus pais novamente?

— John — sua mãe gritou, abraçando-o. — Viremos encontrá-lo. Estaremos com você assim que pudermos.

Ele se agarrou ao pescoço dela, incapaz de reagir. Teve apenas um momento para se despedir de seus pais antes de ser mandado para uma fila de meninos e sair marchando.

Desesperadamente, ele procurou na multidão de meninos rostos familiares e, de repente, lá estava Beda. Embora não pudessem conversar, seus olhos se encontraram... um olhar breve e reanimador. Pelo menos, John tinha seu amigo por perto. Enquanto arrastava sua mala pela rua com os outros meninos, ele pensou em Budejovice e lembrou-se das vezes em que havia testado sua coragem pulando do bonde ou subindo a Torre Negra.

Sobreviver àquela prisão exigiria um tipo muito diferente de coragem.

25
Nos barracões

John acabou indo para o barracão L417, abrigo dos meninos com menos de dezesseis anos. Como era mais velho, Karel ficou junto com seu pai.

A primeira vez que John entrou no dormitório, ficou apavorado. Ele já sentia falta dos seus pais e do seu irmão. Havia quarenta meninos no local, amontoados em um espaço muito pequeno, mas John se sentia só.

Enquanto estava parado lá, cheio de dúvidas e medo, um jovem foi até ele e estendeu a mão:

— Bem-vindo — ele disse. — Meu nome é Arna. Estou ansioso para trabalhar com você.

Quase imediatamente, John relaxou. Moças e rapazes judeus viviam nos barracões das crianças como líderes das casas. Arna, um jovem alto e bonito, era líder daquele dormitório de meninos.

John teve de se adaptar a uma realidade diferente naquele lugar cruel. Três vezes por dia, ele esperava pacientemente em uma longa fila para receber sua pequena porção de comida. Pela manhã, havia um café fraco. Ao meio-dia, os prisioneiros recebiam uma sopa aguada — quando tinham

Os repórteres clandestinos

sorte, havia batata nela ou um bolinho flutuando. No jantar, recebiam mais sopa e um pãozinho. Dores de fome arranhavam o estômago de John até que se tornaram tão comuns que ele já não se lembrava mais da sensação de estar satisfeito.

Nos barracões, os beliches eram empilhados de três em três, para que os quarenta garotos pudessem dormir no espaço lotado. Era sujo e era difícil livrar-se dos mosquitos e roedores. Sabão era um tesouro, reservado para os raros momentos em que os meninos tinham a oportunidade de se lavarem com água fria. Sem água quente para o banho, os piolhos se alastravam pelas roupas dos meninos, escondendo-se nas costuras, mordendo-os e espalhando doenças. Todo dia, prisioneiros ficavam doentes.

Em outro dormitório do barracão dos meninos, Beda estava tendo os seus próprios problemas. Logo depois de chegar a Theresienstadt, ele contraiu escarlatina, uma doença grave. Começou com uma infecção na sua garganta e levou a febre alta e brotoejas pelo corpo. Se não fosse tratada, poderia ter sido fatal, mas, por sorte, Beda recebeu tratamento em um pequeno hospital e, depois de algumas semanas, recuperou-se. No entanto, a doença o deixou enfraquecido e frágil.

A irmã de Beda vivia no barracão L410. Embora os prédios fossem próximos, Frances e Beda raramente tinham a chance de se verem. Frances passava os dias trabalhando. Seu primeiro trabalho foi em uma padaria, separando pães mofados para serem servidos aos prisioneiros judeus. Ela odiava o trabalho, o tempo demorava a passar e as condições eram terríveis. Se estivesse em casa, o pão mofado seria jogado fora imediatamente, mas, naquela prisão, a fome fazia Frances roubar pedaços do pão para ela e sua família. Ela percebeu que se pode comer qualquer coisa quando se está morrendo de fome.

O dormitório dos meninos em Theresienstadt como está hoje em dia. Atualmente, é o Museu de Terezin.

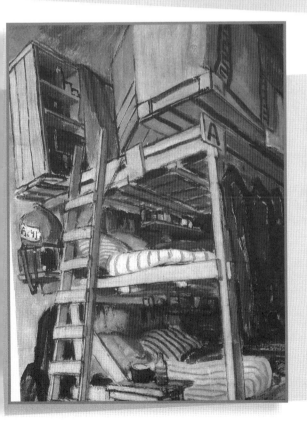

A versão de um artista desconhecido dos beliches em um dormitório dos barracões de Theresienstadt.

A habilidade de Frances com a costura foi útil em Theresienstadt. Depois de muitos meses, ela foi transferida para o quarto de costura, no porão do dormitório das meninas. Lá, ela remendava uniformes e fazia brinquedos para os filhos dos soldados. Ela costurava cuidadosamente pedaços de tecido para fazer bichinhos de pano. "As crianças judias nunca verão estes brinquedos", ela pensava com tristeza, olhando seu trabalho.

No final do dia de trabalho, ela subia as escadas para o quarto lotado que dividia com outras dezenove meninas. Então, se jogava, exausta, no seu beliche, tentando ignorar as pulgas e os outros insetos que a mordiam. "Sinto vontade da minha casa", ela pensava em desespero. "Estou cansada e com fome e sinto falta da minha família. Será que alguém, do lado de fora desses muros, se importa com o que está acontecendo conosco?".

Frances morava no dormitório das meninas em Theresienstadt. É assim que ele está hoje.

26
Bobrick

Apesar das duras condições, alguns acontecimentos em Theresienstadt davam esperança aos prisioneiros. Por seus próprios esforços, a prisão se tornou um lugar onde a música, a arte e a poesia prosperavam. Essas atividades ajudavam todas as pessoas, principalmente as crianças, a aguentar a tristeza das suas vidas. Quando criavam arte e música, sonhavam com suas casas e lembravam-se de momentos mais felizes.

Embora as escolas não fossem permitidas no campo, os adultos estavam determinados a continuar educando os jovens. Todos os dias, as crianças aprendiam coisas com prisioneiros talentosos: artistas, escritores, músicos e atores. As aulas eram dadas nos sótãos dos barracões, onde era menos provável que os guardas os descobrissem. As crianças mais velhas ficavam vigiando as portas, alertas para o caso de os soldados se aproximarem.

Não havia livros e, em vez disso, os professores conversavam com seus alunos e incentivavam discussões sobre matemática, história e literatura. As crianças escreviam contos e pintavam quadros. Elas cantavam e falavam sobre o futuro, quando poderiam voltar para casa e retomar suas vidas. Elas participavam de peças e eventos musicais, tinham campeonatos de xadrez e debates políticos, havia até competições esportivas. Em tudo o que faziam, os prisioneiros tentavam transformar sua situação insuportável em algo bom e positivo.

Certo dia, Arna reuniu os meninos do dormitório de John para uma reunião. Depois de meses, ele havia se tornado mais do que um líder, ele agia como pai, professor, conselheiro e amigo dos meninos, fazendo o melhor que podia para ajudá-los a virarem homens.

— Por mais difícil que seja estar aqui, temos que aprender a sobreviver — ele explicou. — Temos de encontrar maneiras de sermos criativos e mantermos o otimismo.

Ele sugeriu que eles poderiam fazer um jornal para eles mesmos e os outros. Todo mundo poderia contribuir com artigos e o jornal se chamaria *Bobrick*, que, em tcheco, significa "castor".

Uma vez por mês, as histórias, poemas e artigos escritos pelas crianças seriam reunidos em uma única edição do jornal e circulariam pelos barracões para todos lerem. Tudo seria escrito à mão, já que não havia máquina de escrever. Quando o jornal estivesse pronto, Arna reuniria todos no dormitório para ler em voz alta, enquanto crianças mais velhas vigiariam a porta. Assim como o *Klepy*, esse jornal seria criado e saboreado em segredo.

John não podia acreditar no que estava ouvindo. Um jornal em Theresienstadt? Ele pensava que havia abandonado a escrita quando saiu de Budejovice. Ele ouviu atentamente o que Arna dizia, que os meninos tinham de encontrar formas de serem criativos e que a escrita era uma maneira de usar a mente, de sentir-se unido a outras pessoas e de lutar contra regras e restrições. Era o mesmo apelo que Ruda Stadler havia feito pelo *Klepy* para todas as crianças de Budejovice.

Sua mente viajou até os dias em que havia feito parte do *Klepy*. Ele havia se sentido tão produtivo e motivado naquela época. Assim que a reunião acabou, ele começou a trabalhar, queria contribuir de alguma maneira com aquele jornal. Com um lápis quase sem ponta e um pedaço de papel sujo, ele se sentou em seu beliche e escreveu um poema para fazer parte do *Bobrick*:

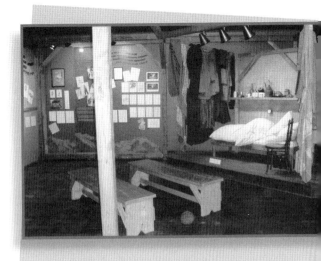

As crianças de Theresienstadt assistiam a peças apresentadas em sótãos como este.

```
Faz cinco anos
Que o diabo entrou marchando em nossa
                [terra pacífica.
A morte andou de casa em casa.
A guerra trouxe momentos terríveis.
Mães e filhas acendem velas,
Lembrando-se dos entes queridos
Que nunca mais verão.
```

John nunca viu Ruda em Theresienstadt, mas sabia que ele ficaria orgulhoso. "Estamos fazendo o que ele nos inspirou a fazer em nossa cidade", John pensou. O *Klepy* permitiu que eles mostrassem resistência em Budejovice usando a imaginação. O *Bobrick* faria o mesmo na imundice de Theresienstadt.

27
Uma cerimônia especial
13 de junho de 1943

Em 13 de junho de 1943, John acordou sabendo que faria parte de uma cerimônia muito especial, o seu *bar mitzvah*, o dia em que os meninos judeus marcam sua passagem da infância para a prática adulta das atividades religiosas. Cerimônias na sinagoga e festas geralmente marcam esse dia, mas não foi assim com John quando fez treze anos. Em Theresienstadt, não haveria cerimônia em uma sinagoga de verdade nem festas caras.

Em Theresienstadt, cerimônias religiosas como o *bar mitzvah* eram realizadas em segredo. Ninguém queria chamar muita atenção para costumes judeus. Embora as solenidades religiosas não fossem terminantemente proibidas, elas também não eram totalmente permitidas. Apenas aconteciam, quando e como fosse possível. Pequenas "sinagogas" foram criadas em sótãos de toda a prisão, rabinos de diferentes cidades e vilas reuniam suas comunidades e realizavam as cerimônias quando podiam.

Na manhã do seu *bar mitzvah*, John vestiu as melhores roupas que pôde encontrar. Ele pegou emprestada uma camisa branca esgarçada no colarinho. Puxou as mangas da camisa, eram curtas, mas teriam que servir. Suas

Esboço de um artista de uma cerimônia religiosa no sótão de um dos barracões. O *bar mitzvah* de John aconteceu em um local como este.

calças ficaram largas na cintura e ele tentou ignorar a dor de fome em seu estômago. Naqueles dias, a fome era diária, pensar nela só a fazia piorar.

John colocou a mão no bolso e sentiu o pequeno relógio de bolso de ouro e a caneta tinteiro, presentes do seu pai e da sua mãe naquela data especial. Ele se perguntou como eles haviam conseguido contrabandear aqueles objetos para dentro do campo de concentração. Tirou o relógio e olhou a hora, tinha de acabar de se aprontar. Rapidamente, lambeu sua mão e ajeitou os cabelos e, depois, limpou uma mancha de sujeira da sua bochecha. Ele respirou fundo, saiu do barracão e subiu as escadas estreitas do sótão de um prédio próximo, onde a cerimônia aconteceria. No caminho, ele murmurou as palavras em hebraico que iria recitar dali a pouco. Na falta dos livros de orações, ele havia decorado as preces,

Kathy Kacer

trabalhando em segredo com o rabino Ferda por meses para garantir que sua pronúncia fosse perfeita.

Quando John entrou no pequeno e mal iluminado sótão, sua mãe caminhou em sua direção e lhe deu um abraço carinhoso.

— Estamos tão orgulhosos de você — ela sussurrou, apertando seu braço.

Seu pai balançou a cabeça em sinal de incentivo e seu irmão lhe deu um soco de brincadeira no braço.

— Você vai se sair bem — disse Karel.

John olhou ao redor do sótão. Havia apenas umas dez pessoas além da sua família, a maioria, amigos de Budejovice. Alguns garotos do seu barracão também estavam lá, oferecendo apoio moral.

John caminhou para a frente do pequeno sótão e ficou perto do rabino Ferda, que sorriu, seus dentes de ouro refletindo a luz de uma vela que brilhava na mesa.

— Sejam bem-vindos — o rabino começou a dizer. — Hoje, estamos aqui para celebrar o *bar mitzvah* de John. Eu tive o prazer de conhecer John quando ele ainda era um garotinho, e que belo rapaz ele se tornou.

John se contorceu.

— Embora estejamos longe de casa, nossa tradição é forte — o rabino continuou. — A oração que John irá recitar hoje começa com uma declaração de fé no futuro. E é isso que todos nós precisamos ter.

"Fé no futuro", John pensou. Depois de quatorze meses de prisão em Theresienstadt, era quase impossível imaginar um futuro. Ele retornaria para casa, para seu próprio quarto e não aquele que tinha que dividir com quarenta pessoas? Ele voltaria para uma escola de verdade, brincaria em um parque de verdade ou iria a um cinema? Ele teria uma refeição completa e

Os repórteres clandestinos

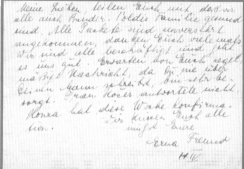

De Theresienstadt, a mãe de John enviou este cartão postal para sua irmã na Áustria. Ela escreveu que eles todos estavam bem e contou sobre o *bar mitzvah* de John. Poucos meses depois, a família Freund foi transportada para Auschwitz.

até poderia repetir os pratos, em vez de ter de esperar em uma fila por uma caneca de sopa aguada e um pedaço de pão bolorento? Fazia tanto tempo desde que havia aproveitado esses simples prazeres.

Quando o rabino Ferda terminou de falar, John respirou fundo, fechou os olhos e começou a recitar as orações em hebraico. Ele cantou sua parte com perfeição, os meses de treino haviam valido a pena. Seus pais sorriam de prazer. Mais tarde, sua mãe enviou um cartão postal para a irmã dela na Áustria, dizendo que todos eles ainda estavam bem e gabando-se da maravilhosa cerimônia feita para John. Seria a última mensagem que ela conseguiria mandar.

28
Um casamento em Theresienstadt

Em outra parte de Theresienstadt, Ruda e Irena estavam lutando para sobreviver. Muito velho para ficar nos barracões dos meninos, Ruda tinha um trabalho desgastante na padaria, com horários longos e condições terríveis. "Isto não é uma padaria de jeito nenhum", ele pensou, lembrando-se dos maravilhosos aromas da padaria da sua cidade. Ele tentava manter as lembranças de casa o mais longe possível da sua cabeça, mas, de vez em quando, ele parava e relembrava os dias em que ele e os outros trabalharam no *Klepy*. Ele não havia escrito mais desde que havia abandonado o cargo de editor do *Klepy*. Era como se aquela parte da sua vida tivesse acabado.

Irena foi designada para trabalhar com as meninas menores, muitas das quais eram órfãs. Seus rostos inocentes ansiavam por conforto e Irena as amava e cuidava delas como se fossem suas filhas. Ela chamava as meninas de *tetky*, uma palavra tcheca que significa "tiazinhas" e elas a chamavam carinhosamente e de brincadeira de *strejo*, que significa "tiozinho". Porém,

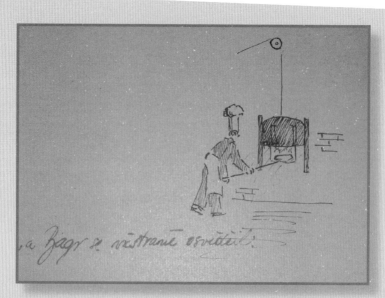

Um esboço de Ruda trabalhando na padaria de Theresienstadt.

apesar de terem rostos suaves, essas meninas estavam apavoradas e Irena podia fazer muito pouco para reanimá-las.

A cada dia, Irena recebia uma pequena quantidade de pão para dividir com as meninas de quem cuidava.

— Você corta o pão, *strejo*! — as meninas gritavam. — Só você consegue cortar pedaços finos o suficiente. Dessa maneira, podemos fingir que há mais para todas nós.

Irena cortava o pão em pedaços da finura de folhas de papel e os entregava às crianças famintas.

— Pegue, minha *tetky* — ela dizia —, vamos imaginar que é um banquete.

Ela sorria, mas, por dentro, ficava pensando, preocupada, quanto tempo conseguiriam ficar vivas lá.

Ruda curvou-se sobre os quentes fornos da padaria, esperando encontrar com Irena ainda naquele dia. Ele a visitava sempre que podia. Era difícil, pois as visitas familiares eram restritas a algumas horas, uma vez por semana, mas isso não o impedia. Esperto e engenhoso. Escapava tarde da noite e percorria as ruas escuras até o barracão de Irena, esquivando-se dos guardas que patrulhavam com seus cães cruéis.

— Como você está lidando com a situação? — ela perguntou a ele quando se encontraram naquela noite.

Ela se preocupava muito com seu irmão, que estava pálido e magro.

Ruda encolheu os ombros.

— Ainda estou forte — ele respondeu — e você tem de continuar forte também.

Ele colocou a mão no bolso e tirou um pequeno pedaço de pão que havia conseguido pegar secretamente na padaria.

— Pegue — ele disse. — Trarei mais sempre que puder.

— Você ouviu os rumores? — ele continuou. — As pessoas estão dizendo que os transportes que saem daqui estão levando os prisioneiros para outros campos de concentração, onde eles estão sendo mortos.

Todos os dias, milhares de prisioneiros recebiam avisos de que seriam mandados para um destino desconhecido no leste. Ninguém queria conversar sobre o que poderia ser.

Irena concordou com a cabeça. É claro que sabia sobre os transportes para o leste, mas, como a maioria dos prisioneiros de Theresienstadt, ela tentava não pensar neles. Além disso, naqueles dias, não queria falar de transportes ou campos de extermínio. Apesar da fome, da tristeza e da incerteza em que viviam, Irena tinha se apaixonado.

Os repórteres clandestinos

Em cima: Um quadro do casamento de Irena e Viktor, realizado em Theresienstadt.
Embaixo: um quadro de Viktor e Irena da capa do seu álbum de casamento.

Viktor Kende era um jovem que ela havia conhecido em Budejovice. Em meio à frieza de Theresienstadt, o amor deles floresceu. Por fim, eles conseguiram se casar.

Viktor e Irena queriam, desesperadamente, fazer uma celebração para o dia do seu casamento. Durante dias, eles guardaram comida extra para a ocasião. Eles até conseguiram achar um pouco de vinho para acrescentar à festa. Irena pegou emprestado um vestido branco de uma jovem do seu barracão. Viktor pegou emprestado um terno que cabia quase perfeitamente em seu corpo alto e bonito.

No dia do casamento, Ruda estava presente para compartilhar a felicidade da irmã, assim como seus pais e alguns amigos e familiares. Mais uma vez, o querido rabino Ferda conduziu a cerimônia no sótão.

Enquanto o rabino recitava uma oração para a noiva e o noivo, Irena fechou os olhos e sonhou com a sinagoga de Budejovice, com seus arcos majestosos e belas janelas com vitrais. Depois, abriu os olhos e olhou para Viktor. Ela buscou a mão do seu marido e segurou-a com força. Os nazistas não podiam impedir aquele casal de se amar. Ela e Viktor beberam vinho em um pequeno copo e se beijaram sob um dossel feito de lençóis e retalhos de roupas velhas.

Depois disso, Ruda embrulhou um copo em um pequeno retalho e o colocou sob o pé de Viktor. Quebrar o copo era uma tradição de casamento importante para os judeus, lembrando a todos, mesmo nos momentos felizes, que a vida é frágil. Em Theresienstadt, com os constantes lembretes da fragilidade da vida, essa tradição parecia ainda mais viva.

Quando o pé de Viktor desceu sobre o copo e o quebrou, os convidados gritaram "*Mazel tov*! Boa sorte! Que suas vidas sejam cheias de felicidade!".

29

Deixando Theresienstadt

Novembro de 1943

À medida que milhares de prisioneiros chegavam a Theresienstadt, outros milhares saíam de lá, tendo recebido um aviso de que seriam transportados para o leste. Os campos de extermínio já não eram mais apenas um rumor. Cada transporte levava vários dos meninos do dormitório de John e, conforme cada menino fazia as malas com seus escassos pertences e se despedia, os outros ficavam imaginando ansiosamente quando seria a vez deles. No resto do mundo, a maré de sorte da guerra estava virando, os exércitos de Hitler estavam perdendo na Rússia e na Itália. Com certeza seriam derrotados, mas isso aconteceria a tempo?

Por muito tempo, John e sua família e Beda e a dele, assim como Ruda, Irena e outros, conseguiram evitar os documentos amarelos de deportação que os mandaria para o leste. Como o pai de John era médico, seus serviços ainda eram necessários em Theresienstadt. O pai de Beda e Frances havia sofrido um ferimento na perna durante um trabalho forçado em Budejovice e isso permitiu que ele adiasse o transporte da sua família. Viktor Kende conseguiu manter a família Stadler em segurança, ele tinha um emprego no departamento de transporte de Theresienstadt, o que permitia que ele evitasse que alguns membros da família fossem colocados nos trens.

No entanto, eles todos não podiam evitar os documentos amarelos para sempre. Em um dia frio de novembro de 1943, John e sua família, assim como outros milhares de pessoas, receberam ordens para deixar Theresienstadt.

John olhou para o pequeno documento e começou a tremer. Os garotos do dormitório estavam quietos, olhando tristes na sua direção e silenciosamente agradecendo por não terem sido escolhidos.

A mãe de John foi ajudá-lo a arrumar a mala para a viagem. Ela fingiu estar feliz.

— Outra viagem de trem — ela disse com um sorriso pequeno —, mas não será por muito tempo. Logo estaremos em casa, você verá.

Daquela vez, John não se deixou enganar. Ele estava assustado.

No dia seguinte, ele se despediu dos meninos do barracão.

Às quatro horas da manhã, ele e outras pessoas entraram nos trens. Esses trens não tinham assentos, eram trens para gado, escuros, frios e sujos. As famílias foram empurradas para dentro até ficarem apertadas umas contra as outras: homens, mulheres e crianças. Por fim, as pesadas portas de metal foram deslizadas e fechadas com um estrondo que ecoou no ar do início da manhã. O trem deixou a estação.

O destino era Auschwitz.

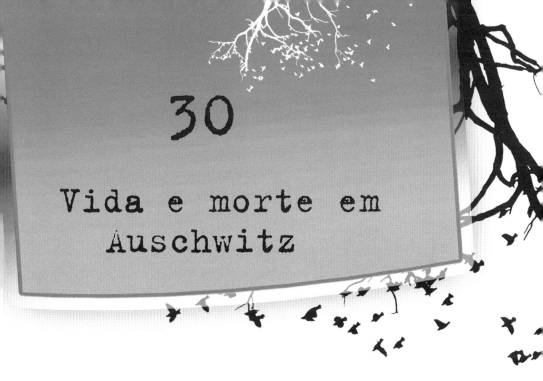

30
Vida e morte em Auschwitz

John chegou a Auschwitz em novembro de 1943. Os dezoito meses seguintes de prisão foram o pior período da sua vida. Auschwitz era um lugar de horrores indescritíveis, as condições eram cruéis, as doenças eram constantes e as mortes eram diárias. Lá, pelo menos quatro mil prisioneiros foram espremidos em barracões de madeira, com apenas tábuas para servirem de cama, cercados por arame farpado eletrificado. Os prisioneiros estavam mortos de fome. Por mais escassa que fosse a comida em Theresienstadt, em Auschwitz havia ainda menos: uma tigela de sopa aguada por dia, com um pequeno pedaço de pão.

O campo imundo e lamacento era um local de reprodução de pulgas e outros insetos. Em certo dia de inverno, John sentiu o seu corpo todo coçar e arder. Ele tirou a malha e olhou atentamente. Para sua surpresa, havia centenas de pequenas pulgas rastejando por toda parte. Era como se a malha toda estivesse em movimento, já que os insetos dançavam pelos fios de lã. Era a única malha que ele tinha e restava apenas uma coisa a fazer. Ele sacudiu a malha ferozmente e esmagou os insetos com os dedos até matar o máximo que podia. Depois, de olhos fechados, vestiu novamente a malha.

"Alguma coisa poderia ser pior do que isso?", ele se perguntou. À medida que cada etapa da sua vida se tornava mais insuportável do que a anterior, ele lembrava com saudades do passado. Comparado a Auschwitz, Theresienstadt havia sido tolerável. Dormir em colchões infestados de insetos era preferível a dormir nas tábuas de madeira de Auschwitz. Tomar banho uma vez por semana, mesmo na água fria e com apenas uma lasca de sabonete, havia sido melhor do que não tomar banho nenhum. O calor do barracão dos meninos fora melhor do que aquele frio constante e a lama sem fim. Era impressionante como um lugar terrível podia fazer outro parecer bom.

Sua casa parecia uma memória distante, mal podia se lembrar dos dias na piscina natural e da felicidade que havia sentido lá com seus amigos. Ele pensou no *Klepy* e nos jovens que participaram da sua criação e soube que precisava continuar tendo esperança. A esperança havia inspirado as crianças de Budejovice a criarem o *Klepy*, a esperança os tinha apoiado em Theresienstadt, mas a esperança era cada vez mais difícil de ser encontrada.

Certo dia, pouco depois de chegar a Auschwitz, John caminhou para fora do prédio onde ficava. O ar gelado de inverno passava com facilidade através da sua malha fina. Ele escorregava e deslizava no gelo e na neve com seus sapatos de solas finas, que tinham buracos embaixo. Respirar quase doía porque o ar era muito gelado. Porém, mesmo assim, era bom ficar do lado de fora. Ele seguiu pelo campo até uma pequena estrada em frente aos barracões. Os nazistas permitiam essas caminhadas curtas e elas eram a única forma de exercício para seu corpo, agora enfraquecido.

Enquanto andava pela estrada, ele de repente viu uma pessoa conhecida andando na sua direção, um amigo que havia deixado Theresienstadt antes dele. Era maravilhoso ver seu amigo e saber que ainda estava vivo, embora fraco e com aparência de doente.

— Diga-me o que puder sobre este lugar — John implorou.

Ele estava faminto por informações, desesperado para que o tranquilizassem dizendo que tudo ficaria bem.

Seu amigo balançou a cabeça.

— É pior do que você imagina — ele respondeu e a esperança de John se despedaçou.

Foi o seu amigo quem lhe contou sobre as câmaras de gás de Auschwitz. Milhares de judeus eram arrebanhados para um grande depósito ao mesmo tempo e as portas eram trancadas. Um gás venenoso era então liberado no depósito. A cada dia, aqueles que estavam doentes ou velhos ou não eram mais necessários eram selecionados para deixarem seus barracões e irem para o depósito. Nunca voltavam.

Em julho de 1944, a mãe de John foi enviada para as câmaras de gás. Mesmo enquanto ele a abraçava e se despedia, ela não chorou. Ela dividiu com ele um pequeno pedaço de pão e o abraçou apertado.

No mesmo mês, John se despediu de seu pai e seu irmão e os viu marchar para fora de Auschwitz para um trabalho. Cada um levava um pequeno pedaço de pão e uns poucos pertences. John acenou para eles pela cerca de arame farpado.

Foi a última vez que os viu. Mais tarde, descobriu que Karel havia caído de exaustão enquanto marchava pela estrada e havia levado um tiro que o matou lá mesmo. Seu pai se recusou a sair do seu lado e foi baleado perto dele.

167

John ficou sozinho. Ele ainda lutava para sobreviver, dia a dia, com uma força que não sabia que tinha. Ele ia para a cama toda noite e rezava para sobreviver até o dia seguinte. Cada manhã, quando acordava, admirava-se por ainda estar vivo. Mas por quanto tempo conseguiria aguentar?

— Você ouviu as notícias? — alguém perguntou. — Os Aliados invadiram a Normandia, na França. Estão se movimentando pela Europa e fazendo os nazistas recuarem.

— Acabei de ouvir uma notícia maravilhosa — outra pessoa falou. — Os nazistas foram derrotados na Rússia e estão começando a recuar.

Esses pedaços de informação, sussurrados de um prisioneiro ao outro, oferecia uma esperança renovada para John e as outras pessoas. Talvez, um dia, os nazistas fossem derrotados. Talvez, um dia, esse pesadelo acabasse.

31

A marcha

Abril de 1945

Dia após dia, continuavam a pingar notícias de que os nazistas estavam sendo forçados a recuar. A guerra havia se virado contra Hitler. Os nazistas sabiam que estavam prestes a perder a guerra e precisavam esconder as evidências dos seus crimes. Certa vez, John assistiu, abismado, à demolição e destruição das câmaras de gás de Auschwitz.

E, então, novos rumores começaram a circular. Os nazistas estavam levando os prisioneiros dos campos mais para o interior da Polônia e da Alemanha, tentando desesperadamente escapar dos Aliados, que se aproximavam.

Em janeiro de 1945, todos os prisioneiros que estavam em boas condições físicas foram reunidos em espaços abertos e informados que deixariam o campo. Junto com milhares de outros prisioneiros, John saiu do campo de concentração e foi forçado a marchar para uma estação de trem a cinquenta quilômetros dali. Lá, eles entraram em trens transportadores de carvão abertos que os levaram a outros campos de concentração.

John passou dois meses em um campo chamado Flossenburg. De lá, ele e os outros prisioneiros foram forçados a partir novamente marchando para um destino desconhecido no frio congelante, com quase nada para comerem, beberem ou se aquecerem. Eles dormiam em campos abertos ou celeiros, amontoados para se esquentarem. Essa provação durou cem dias, mas John quase não tinha noção do tempo. As horas, dias e semanas passavam como um borrão. Ele andava automaticamente, colocando um pé sangrando na frente do outro, forçando um ritmo mecânico para o seu corpo, que o mantinha em movimento. À noite, ele fechava os olhos, entorpecido pela dor e, depois, arrastava seu corpo destruído para o frio, para outro dia.

Muitas pessoas ficaram doentes à sua volta. Centenas de prisioneiros morriam a cada dia e seus corpos eram abandonados nas laterais da estrada. John não sabia por quanto tempo mais iria sobreviver, ele não comia havia dias e tinha poucas forças. Seu tempo estava se esgotando.

Certo dia, em abril de 1945, exatamente quando pensou que também iria morrer, John levantou o rosto e viu tanques americanos se aproximando. Era um sonho? Ele esfregou os olhos, incrédulo. Com seu último punhado de energia, ele correu para um dos tanques. Um soldado americano simpático o levantou e deu a ele uma barra de chocolate.

A guerra havia acabado.

John estava vivo e a salvo.

Assim que ficou forte o suficiente, John voltou para Budejovice. Ele tinha então quinze anos e estava totalmente sozinho. Ele permaneceu em Budejovice por três anos, recuperando sua saúde. Voltou para a escola, foi ao cinema e assistiu a concertos, tudo o que haviam lhe negado durante aqueles longos anos de perseguição e guerra.

Ele também reencontrou Zdenek Svec, o garoto cristão que continuou sendo seu amigo firmemente. Como havia prometido, a mãe de Zdenek

À esquerda: John tinha quinze anos quando a guerra acabou e ele voltou a Budejovice. Esta foto foi tirada três meses após a sua libertação. À direita: uma foto de John aos dezoito anos, a bordo de um navio rumo ao Canadá.

guardou os pertences da família Freund — o casaco de pele da sua mãe, os quadros e os tapetes — em segurança durante a ausência deles.

— Pegue-os — ela insistiu. — Eles pertencem a você.

Porém, para John, essas coisas tinham pouca importância. Para que serviam casacos de pele e objetos de arte? O que ele realmente queria era a sua família. No final, a mãe de Zdenek lhe deu um pouco de dinheiro em troca dos bens e ele pôde começar a fazer planos para o futuro. Em março de 1948, John deixou a Tchecoslováquia e foi para um país com um nome que soava esquisito: Canadá.

Antes de deixar Budejovice, no entanto, ele voltou a visitar a piscina natural. Ficou parado naquele pedaço de terra familiar, fechou seus olhos e pensou naqueles que haviam ido embora para sempre. Primeiramente, pensou em seu amigo Beda. Podia quase vê-lo com o nariz enterrado em um livro ou contemplando seu próximo lance no xadrez. Depois, lembrou-se de Tulina, com seus lindos cachos e seu sorriso vivo e carinhoso. Ele pensou no rabino Ferda, que havia se esforçado tanto para oferecer orientação espiritual para sua comunidade. E ele pensou em Joseph Frisch, que foi um professor bom e dedicado.

Estava silencioso perto do rio, mas, dentro da sua cabeça, John podia ouvir os sons de seus amigos rindo, cantando, praticando esportes e conversando sobre o *Klepy*. Ele quase podia ver Ruda Stadler sentado à máquina de escrever na cabana, cercado por pilhas de papel, ou caminhando com seus editores, discutindo o que incluir na edição seguinte.

As crianças judias de Budejovice eram saudáveis, com personalidades fortes e energia sem limites. Tinham tido um amor profundo por sua terra natal e uma forte fé no futuro. Sonharam em crescerem e se tornarem médicos, escritores ou professores. Não havia passado pela cabeça delas que poderiam morrer jovens e, apesar disso, nenhuma delas estava lá naquele dia.

John lembrou-se do contrato de sangue que ele havia assinado com seus amigos, prometendo uns aos outros que se encontrariam lá no futuro. Aquela reunião nunca seria possível. Ele seria o único a voltar. Ele ficou no centro da sua antiga área de diversões e disse seus nomes em voz alta, como uma oração pela memória deles. Depois, voltou as costas para o local e saiu da piscina natural pela última vez.

EPÍLOGO

Encontrando o *Klepy*

Quando a guerra terminou, em 1945, mais de seis milhões de judeus haviam morrido, muitos deles assassinados pelas mãos de Adolf Hitler e seus cruéis colegas nazistas. Desse total, estima-se que chegou a 1,5 milhão o número de crianças. A maioria dos jovens que haviam sido repórteres clandestinos em Budejovice não sobreviveu.

Beda Neubauer foi para Auschwitz, junto com seus pais, irmã e irmão. Após a morte de seus pais e seu irmão, Beda morreu em março de 1944, seu frágil corpo fatalmente enfraquecido por uma doença.

Pouco depois de chegar a Theresienstadt, Rita Holzer, a garota conhecida como Tulina, foi mandada para o gueto em Varsóvia com sua família. Ela morreu lá.

Joseph Frisch, o professor que manteve uma escola para crianças judias em sua casa, morreu em Auschwitz, junto com o rabino Ferda e a maioria das famílias judias de Budejovice.

Em setembro de 1944, Ruda Stadler recebeu seu documento amarelo de deportação em Theresienstadt. Ele deixou Irena e Viktor para trás e en-

Esta escultura em madeira do forte e heroico Ruda, sentado sobre um pedaço de pão (ele trabalhava na padaria), foi feita em Theresienstadt.

trou no trem para Auschwitz. De lá, ele foi transferido para outro campo de concentração, de onde foi mandado para um trabalho. O dia estava gelado e um dos guardas do local exigiu o casaco quente que Ruda estava usando. Ruda recusou-se a entregar seu casaco. Ele levou um tiro lá mesmo, tendo lutado por seus direitos e sua dignidade até o último suspiro.

Irena e Viktor permaneceram em Theresienstadt e foram libertados de lá no final da guerra. Estavam doentes com tifo, uma doença fatal transmitida pelo piolho que se alastrava pelos campos de concentração, mas estavam vivos.

Outros além de John sobreviveram à guerra e começaram uma nova vida. Em julho de 1944, Frances Neubauer foi mandada para um campo de trabalho em Hamburgo, onde separava e limpava tijolos de prédios bombardeados, cavava trincheiras e construía casamatas. Em março de 1945, ela foi mandada de Hamburgo para outro campo de concentração, chamado Bergen Belsen. Esperava-se que ela e todas as outras pessoas morressem lá. Em vez disso, Frances sobreviveu e foi libertada em 15 de abril de 1945. Ela passou alguns dos meses seguintes em um hospital, recuperando-se do tifo, mas, com atendimento médico adequado, foi melhorando aos poucos. Anos

Frances Neubauer, nos dias de hoje, em frente à estação de trem, do outro lado da rua da casa onde morava antes da guerra.

depois, casou-se com um homem chamado Lou Nassau. Eles se mudaram para a Austrália e tiveram dois filhos e três netos. Em 1959, ela e sua família se mudaram para Palm Springs, na Califórnia, onde ela mora até hoje.

Quanto a John, ele chegou a Toronto, no Canadá, em 1948 e, nos anos seguintes, lutou para construir uma vida naquele novo país. Aprendeu inglês, foi à escola, tornou-se contador, casou-se e teve três filhos e dez netos.

Às vezes, seus pensamentos vagam de volta para aquele outro lugar, o país onde nasceu, o local que guardou aquelas memórias de infância da piscina natural e da criação do *Klepy*, o lugar onde os nazistas haviam tirado sua liberdade, o feito prisioneiro e matado tantos de seus amigos e familiares. Era estranho pensar em um lugar como sendo feliz e triste ao mesmo tempo, mas essa era a sua lembrança de Budejovice: um lugar cheio de alegria e também trágico.

Periodicamente, John procurava sobreviventes de Budejovice. Ele descobriu que Frances Neubauer estava viva e começou a se corresponder com ela, relembrando seus dias com Beda na piscina natural e as excursões que faziam com outros amigos.

Na década de 1970, John soube que Irena Stadler estava morando em Praga. Ele se perguntou se ela sabia alguma coisa sobre o destino das vinte e duas edições do *Klepy*. Talvez ela soubesse se Ruda as havia escondido em algum lugar durante a guerra.

Ele encontrou o endereço de Irena e tentou mandar uma mensagem a ela. No entanto, desde a guerra, a Tchecoslováquia estava dominada por um regime comunista opressor, com novas leis e regulamentos. O comunismo era um movimento político que tinha a intenção de dar aos cidadãos oportunidades iguais de trabalho, educação, classe social e posição econômica. Na verdade, o comunismo era severo e intimidador. Qualquer cidadão em posse de documentos suspeitos podia ter problemas. John não queria colocar a segurança de Irena em perigo, portanto, ele não perguntou a ela sobre o jornal.

Em 1989, o regime comunista foi derrubado e John finalmente pôde visitar sua terra natal. Ele entrou no prédio de Irena e subiu as escadas até o apartamento dela. Depois de tocar a campainha com a mão trêmula, limpou o suor da sua testa. Ele tinha sessenta anos na época e subir as escadas o havia deixado sem fôlego. Seu coração estava acelerado. Na verdade, a viagem toda era física e emocionalmente desgastante. Ele não colocava os pés no país desde março de 1948. Ele havia mudado tanto, tudo havia mudado tanto.

A porta foi aberta e lá estava ela, Irena Stadler, na época com sessenta e seis anos, uma mulher alta e grisalha, ainda forte e de olhos claros.

Depois de se cumprimentarem, ele não podia mais segurar a pergunta:

— Você realmente os tem?

— Sim — Irena garantiu a ele, sua voz rouca, mas firme.

Kathy Kacer

De cima para baixo: John e seu amigo de infância, Zdenek Svec, o único garoto cristão que brincava com John desrespeitando as ordens dos nazistas. John e a autora na praça central de Budejovice. John em frente à escola de Budejovice, que ele frequentou até a terceira série. John na piscina natural nos dias de hoje.

Uma foto da irmã de Ruda, Irena Stadler, tirada muitos anos depois do fim da guerra.

— Posso vê-los? Por favor? — ele pediu, quase sem conseguir controlar sua impaciência.

Ela concordou e caminhou pelo estreito corredor. No final, ela parou em frente a um grande armário. Abriu a porta, curvou-se, estendeu a mão para o fundo, empurrou e arrastou algumas coisas até que finalmente arrastou para fora uma mala marrom gasta. Ela levou a mala para a pequena sala de estar, colocou-a no chão, destravou os trincos com um estalo alto e abriu a tampa.

John deu um passo à frente para espiar lá dentro. Lá estava.

Lentamente, ele colocou a mão dentro da mala, tirou o primeiro maço de papéis e leu o título da capa: "*Klepy* número 1". Embaixo desse primeiro punhado, estavam os outros vinte e um exemplares, cuidadosamente amarrados e perfeitamente preservados. Os jornais haviam sobrevivido.

John abraçou Irena e, juntos, dançaram uma dancinha maluca pela sala dela, um apertando o outro. Thereza, a faxineira com quem Ruda havia deixado os jornais, os manteve em segurança. Irena havia conseguido recuperá-los depois da guerra e os havia escondido no armário até aquele momento.

Eles então se sentaram no chão da sala de estar e começaram a folhear as páginas do *Klepy*. John sentiu o peso das histórias em suas mãos, assim como das vidas dos seus criadores. Lá estavam os editoriais de Ruda, as colunas de esportes, os poemas e os belos desenhos de Karli Hirsch. Tinha uma fotografia de John sobre um pé só chutando uma bola de futebol. Havia histórias escritas pelo seu grande amigo Beda e piadas sobre o rabino Ferda e Joseph Frisch. Fotos de Tulina, o primeiro amor de John, seu irmão, Karel, e todos os seus outros amigos, também estavam lá. Era um milagre os jornais terem sobrevivido.

John ficou por muitas horas no pequeno apartamento de Irena e visitou-a muitas outras vezes depois disso. Antes de partir de Praga, tirou cópias da coleção completa do *Klepy* e levou as cópias para sua casa em Toronto.

Alguns anos depois, John entrou em contato com o filho de Irena e discutiu a melhor maneira de guardar o *Klepy* para o futuro. Eles queriam que outras crianças pudessem ver o jornal e aprender com a história dele. Por fim, os filhos de Irena, Jirka e Hana, decidiram doar a coleção toda do *Klepy* para o Museu Judaico de Praga, na República Tcheca.

Ele ainda está em exposição até hoje, para o mundo inteiro ver.

Os repórteres clandestinos

Páginas de edições do *Klepy*, atualmente em exibição no Museu Judaico de Praga. De cima para baixo: A árvore do amor; Adivinhe quem é; Gêmeos representados como um homem de duas cabeças.

Agradecimentos

Vários anos atrás, sentei-me no apartamento de John Freund e o escutei contar sobre o jornal que ele e outros jovens haviam escrito durante o Holocausto. Ele me mostrou as cópias do jornal e me pediu para fazer alguma coisa com a sua história. E assim começou a nossa jornada. Foi um privilégio trabalhar com John neste livro, ele é um homem afetivo e gentil, que suportou com paciência minhas perguntas sem fim e compartilhou sua vida generosamente comigo. Agradeço também à sua maravilhosa esposa, Nora, por sua força e entusiasmo.

Meus mais sinceros agradecimentos a Frances Neubauer, não apenas pela maneira aberta e honesta com que falou sobre sua vida e a vida dos seus familiares, mas também por sua carinhosa hospitalidade. Guardarei com carinho as memórias do tempo que passei com ela na Califórnia.

Estou em dívida com Jirka e Hana Kende por terem compartilhado suas lembranças de seus pais, Irena e Viktor, e seu tio, Ruda. Eles preencheram as lacunas desta história e ajudaram a manter a precisão dela.

A autora, Kathy Kacer, e Frances Neubauer em frente à casa de Frances na Califórnia.

Estou grata, como sempre, a Margie Wolfe da Second Story Press por seu entusiasmo e sua paixão e por seu apoio constante ao meu trabalho. Agradeço também a Laura McCurdy, Corina Eberle e Peter Ross por sua criatividade e trabalho duro para unir todas as partes deste livro.

É sempre um privilégio trabalhar com Sarah Swartz por meio do seu processo editorial. Sarah é uma conselheira maravilhosa e uma editora dedicada e diligente. Agradeço a Gena Gorrell por sua revisão final e completa do manuscrito.

Agradeço ao Museu Judaico de Praga, na República Tcheca, pelas fotografias do *Klepy* e a Patricia Tosnerova por suas informações históricas.

Sempre que eu me sinto oprimida pela tarefa de escrever, posso recorrer à minha família para encontrar amor e apoio. Eles me lembram que é tudo parte do processo e me acalmam e tranquilizam da maneira que somente a família pode fazer. Meu amor e estima vão para meu marido, Ian Epstein, e meus filhos, Gabi e Jake.

Este livro foi reimpresso, em segunda edição,
em setembro de 2022, em offset 90 g/m^2,
com capa em cartão 250 g/m^2.